L'HOMME À L'ÉCHARPE BLEUE

L'HOMME À L'ÉCHARPE BLEUE
Poser pour Lucian Freud

Martin Gayford

Traduit de l'anglais par Gilles Berton

64 illustrations, dont 58 en couleurs

Thames & Hudson

Frontispice : *Man with a Blue Scarf*
dans l'atelier de Lucian Freud, le 14 juin 2004.
Photographie de David Dawson

L'édition original de cet ouvrage a paru sous le titre
Man with a Blue Scarf – On Sitting for a Portrait by
Lucian Freud chez Thames & Hudson Ltd, Londres

Texte © 2010 Martin Gayford
Les œuvres de Lucian Freud © 2010 Lucian Freud
Les photographies de David Dawson © 2010 David Dawson

Traduction française
© Editions Thames & Hudson SARL, Paris

Traduit de l'anglais par Gilles Berton

Cet ouvrage composé par Thames & Hudson a été
reproduit et achevé d'imprimer en juillet 2011
par l'imprimerie C&C Offset Printing Co. Ltd
pour les Éditions Thames & Hudson.

Dépôt légal : 3e trimestre 2011
ISBN 978-2-87811-373-0
Imprimé en Chine

www.thameshudson.fr

SOMMAIRE

L'HOMME À L'ÉCHARPE BLEUE
LES SÉANCES

Le présent ouvrage est basé sur un journal que j'ai tenu au cours des dix-huit mois durant lesquels j'ai posé pour deux portraits, l'un à l'huile, l'autre gravé. J'ai omis quelques événements et conversations, développé ici et là certaines de mes réflexions d'il y a cinq ans, déplacé dans le temps un certain nombre d'incidents et d'échanges afin de soutenir le rythme narratif, mais pour l'essentiel ce qui suit est un compte rendu fidèle de ce qui s'est passé dans l'atelier.

Lucian Freud m'indique un fauteuil bas en cuir dans lequel je m'installe. « Cette pose vous semble-t-elle raisonnablement naturelle ? s'enquiert-il. J'essaie d'imposer le moins possible mes idées à mes modèles. » C'est une froide journée de fin d'automne et je porte une veste en tweed et une écharpe bleu roi. Peut-être pourrais-je garder l'écharpe pour le tableau, suggérai-je. LF est d'accord, mais il s'avère vite que sur certains points, ses désirs sont des ordres. Pensant que je pourrais peut-être lire pendant les séances, j'ai apporté un livre avec moi, mais il n'en est pas question. « Je ne pense pas que je vais vous laisser lire. J'envisage déjà d'autres possibilités. » Elles ont dû lui venir à l'esprit presque aussitôt.

A l'aide d'une craie, LF entreprend alors de marquer sur les lattes du parquet l'emplacement des pieds du fauteuil afin que, chaque fois que je viendrais à l'atelier, nous puissions le replacer exactement dans la même position par rapport à la lumière du plafonnier et au chevalet. Derrière moi, LF installe un paravent noir tout râpé : ce sera l'arrière-plan de mon portrait. Ensuite il cherche une toile d'une taille adéquate parmi les différents châssis disposés contre le mur. Il en écarte une parce qu'elle a un bord abîmé, ce qui, explique-t-il, fera tôt ou tard écailler la peinture. Il en trouve finalement une dans un coin et, fusain en main, se met aussitôt au travail.

Nous voilà partis. C'est ainsi que nous passerons de longues heures durant plusieurs mois. Assis au centre d'une flaque de lumière dans l'atelier obscur, je commence à méditer et à observer.

…

Je suis convaincu depuis longtemps de l'authenticité de Lucian Freud : c'est pour moi un très grand peintre contemporain. Lorsqu'un après-midi où nous prenions le thé, je lui avais déclaré – très

Lucian Freud, 2005

timidement – que s'il voulait me peindre, je pourrais trouver le temps de poser, ma motivation était en partie celle de toutes les personnes acceptant de poser pour un portrait : une affirmation de ma propre existence. Pour différentes raisons, je me sentais plutôt déprimé et être peint par LF semblait une bonne façon de reprendre le dessus.

L'autre raison, c'était la curiosité de voir comment cela se passait. Après avoir pendant des années écrit sur l'art, en avoir parlé et y avoir réfléchi, j'étais séduit par la perspective de voir un tableau prendre forme : être à l'intérieur du processus. Cela dit, lorsque je fis ma proposition, je ne m'attendais pas vraiment à ce que LF l'accepte. Sans doute, me disais-je, allait-il émettre une remarque polie qui ne l'engageait à rien, du genre : « C'est une bonne idée, un jour peut-être, pourquoi pas ? » Au lieu de quoi il me répondit : « Seriez-vous disponible un après-midi de la semaine prochaine ? »

A ce moment-là je le connaissais depuis assez longtemps, disons une dizaine d'années. Nous avions passé des heures à discuter en tant qu'amis, et aussi en tant qu'artiste et critique. J'avais partagé d'innombrables repas avec lui ; ensemble nous avions visité des expositions, assisté à des concerts de jazz. Je m'étais rendu des dizaines de fois dans ses ateliers pour découvrir ses tableaux récemment achevés et ceux en cours d'exécution. Mais cette fois, c'était différent. Je ne regarderais pas le tableau, je serais le tableau – ou en tout cas, son point de départ.

...

L'expérience de la pose se situe quelque part entre la méditation transcendantale et un rendez-vous chez le coiffeur. On y éprouve une sensation plutôt agréable de concentration et de vigilance, et aucune obligation si ce n'est de réagir à certaines demandes : « Cela ne vous ennuierait pas de tourner légèrement la tête ? », « Pourriez-vous déplacer votre écharpe de quelques centimètres ?

Telle qu'elle est, elle fait un peu "apprêtée". » A certains moments, poser semble une affaire physique presque embarrassante : une entreprise qui concerne la peau, les muscles, la chair et aussi, je suppose – si une telle chose existe –, le moi du modèle.

Je demande s'il est permis de parler pendant les poses, à quoi LF répond que oui, « même si je pourrai parfois vous paraître complètement cinglé ». En fait, nous alternons des périodes de conversation et d'autres où sa concentration est intense. Durant celles-ci, il se livre à une sorte de danse, faisant un pas de côté, m'observant attentivement, prenant ses mesures à l'aide du fusain. Il tient le bâtonnet verticalement puis, d'un geste caractéristique, lui fait décrire un arc de cercle avant de revenir à la toile où il trace un nouveau trait. Durant ce processus, il marmonne parfois entre ses dents, émettant des remarques parfois difficiles à saisir : « Non, ce n'est pas ça », « Oui, un peu », « Légèrement… » De temps à autre il sort de sa poche une boule de laine de coton et efface un trait ou deux. Parfois il prend un peu de recul et, la tête inclinée, observe ce qu'il a fait.

…

Lucian Freud travaille depuis très longtemps. Il est né à Berlin en décembre 1922. Dès son enfance, il a voulu devenir peintre. Ses premières peintures à l'huile conservées datent des années 1930, époque à laquelle sa famille s'établit en Angleterre. Mais en dépit du fait que son œuvre couvre à présent six décennies, il serait faux de prétendre que son art ne fait que perpétuer une grande tradition : la représentation d'après nature des personnes, des objets et des lieux.

Il est plus proche de la vérité de dire qu'il a régénéré la tradition figurative par un acte de volonté et d'audace, et qu'il l'a fait avec une immense conviction. Durant sa jeunesse, beaucoup de gens affirmaient déjà que la peinture figurative était morte. Il est entré en scène longtemps après que Marcel Duchamp eut effectué un travail de pionnier sur le terrain d'un art fondé sur des objets trouvés et modifiés plutôt que sur la peinture ou le dessin. Piet Mondrian, Vassili Kandinsky, Jackson Pollock et Mark Rothko étaient beaucoup plus âgés que lui. Il a travaillé à l'époque du pop art, de l'op art, du land art, de la performance et de nombreux autres mouvements d'avant-garde.

A l'école primaire en Allemagne dans les années 1920, on obligeait Freud à lacer ses chaussures d'une certaine façon. « A cause de cela, se souvient-il quatre-vingts ans plus tard, je me suis promis que je ne les lacerais *plus jamais* de cette manière. » C'est une réaction tout à fait caractéristique de sa part. Qu'on lui dise de faire quelque chose, reconnaît-il, suffit à l'inciter à faire toute autre chose. Au-delà de la façon de lacer ses chaussures, son refus de suivre les règles établies l'a poussé peu à peu à faire fi des prétendus diktats de l'histoire de l'art.

Il y a très longtemps, en réponse aux pronostics selon lesquels son style de peinture – que faute de meilleur terme je qualifierais de naturaliste – était « impossible » ou « non pertinent » « après Cézanne » ou « après Duchamp » (les critiques d'art aiment bien édicter ce genre de lois), LF rétorquait : « Il m'a toujours semblé que le fait qu'une chose soit interdite, voire quasiment illégale, la rendait d'autant plus attirante. »

...

Au bout d'environ une heure, il s'affale sur un tas de chiffons dans un coin et m'incite à me dégourdir les jambes. Je jette un coup d'œil à l'image qui commence tout juste à émerger sur la toile blanche. En regardant le dessin au fusain, je comprends qu'il a l'intention de faire un gros plan plus grand que nature de mon visage.

Je lui demande si pour un tel portrait je devrai poser en croisant les jambes de la même façon à chaque séance. La réponse est oui. LF déclare que la position des jambes modifie le poids et

Vincent van Gogh, *Moisson en Provence*, 1888

l'équilibre. Je devrai donc passer des dizaines, voire des centaines d'heures la jambe droite croisée sur la gauche, et jamais l'inverse.

Je lui demande comment il décide de la composition d'un tableau. « J'essaie de faire quelque chose qui ressemble aussi peu que possible à ce que j'ai déjà fait. La réaction idéale de quelqu'un découvrant un nouveau tableau est pour moi : "Oh, je ne m'étais pas rendu compte que c'était de vous." »

Nous regardons quelques dessins de Van Gogh dans le livre que j'ai apporté dans l'intention de poser en modèle lisant. LF s'enthousiasme pour un vaste paysage représentant la Crau, la plaine proche d'Arles où Van Gogh allait souvent se promener (p. 12). « Beaucoup de gens diraient qu'on sent ici l'influence de l'art japonais, mais j'échangerais volontiers tous les paysages japonais du XIXe siècle contre ce dessin. Il donne une impression tellement merveilleuse de la terre, non seulement dans son étendue jusqu'à l'horizon, mais aussi dans ses courbes, dans sa rondeur.

« Savoir bien dessiner, poursuit-il, est la chose la plus difficile qui soit – beaucoup plus difficile que peindre, comme on peut aisément le constater au vu du peu de grands dessinateurs en comparaison du nombre de grands peintres – Ingres, Degas, ils ne sont qu'une poignée. »

LF ajoute, à propos de son vieil ami et, à une époque, modèle, Francis Bacon : « Il crayonnait constamment, je ne qualifierais pas vraiment ça de dessin, mais il y avait quelque chose de lui dans ces croquis. Ses meilleurs tableaux sont tellement fondés sur l'inspiration pure qu'ils n'ont pratiquement aucune base dessinée. Avec Sickert, par exemple, même quand ses tableaux ne sont pas excellents, le dessin sous-jacent les maintient à un certain niveau. Avec Bacon, il n'y a tout simplement pas de dessin. »

La conversation dévie alors sur un autre plan. « J'avais un tableau de Max Ernst autrefois. J'avais persuadé mon père de me l'acheter quand j'avais vingt-six ans. Il représentait une fleur sur un très beau fond vert. Mais j'ai fini par m'en lasser, et c'est à mon avis parce que Ernst ne savait pas dessiner. D'une certaine façon, c'est le genre de tableau qui ne nécessite pas un gros travail de dessin, mais j'ai la conviction que l'on peut savoir si quelqu'un sait dessiner ou non d'après une simple empreinte de pied. Ce qu'il y avait de très vivant et imaginatif chez Ernst ce sont ses collages d'*Une semaine de bonté*. Un jour à Paris j'ai participé à un dîner avec Max Ernst, Man Ray et sa femme.

— Vous êtes-vous amusé ?

— Non, je me souviens m'être demandé après coup pourquoi cela n'avait pas été plus drôle. Je pense que cela tenait à Ernst lui-même. Je ne sais pourquoi, mais toute la soirée s'est déroulée dans une ambiance empruntée. Man Ray était très bruyant et vulgaire – je l'aimais bien. Mais Ernst, même si c'était de façon très parisienne, avait gardé quelque chose de l'Allemand qu'il était. Quand ils sont malveillants – ce qui est fréquent –, les Français le sont d'une manière observatrice, spirituelle et stimulante. Ernst était lourd et rigide. »

Ensuite la séance reprend et je repense à notre conversation. Dans l'esprit des historiens, Francis Bacon (1909–1992) est et restera peut-être toujours associé à LF. Les grands peintres anglais, pourrait-on dire, sont comme les bus : aucun ne se présente pendant un siècle, puis il en surgit deux en même temps. Dans les décennies qui suivirent l'année 1800, il y eut J. M. W. Turner et John Constable, puis plus personne de stature internationale, sauf peut-être Walter Sickert, jusqu'à Bacon et Freud après la Seconde Guerre mondiale.

A l'instar de Turner et Constable, pourtant, Bacon et Freud étaient des artistes mal assortis, partageant autant de similitudes que de différences. Tous deux étaient des peintres figuratifs, produisant des images d'êtres humains à une époque où les modes artistiques s'étaient largement tournées vers l'abstraction. Ils restèrent amis durant de longues années – beaucoup plus liés que ne l'étaient Turner et Constable. Mais sous de nombreux aspects, ils étaient à l'opposé l'un de l'autre.

Bacon peignait vite, allant parfois jusqu'à projeter la peinture sur la toile pour obtenir un effet d'écume et d'éclaboussure ; LF est et a toujours été extraordinairement lent dans son travail. Bacon peignait souvent en puisant dans son imagination, utilisant les images qui lui venaient à l'esprit comme, disait-il, « des diapositives ». LF, dans sa période de maturité, n'a jamais rien inventé. Il veut, a-t-il souvent dit, que ses modèles soient la texture dramatique de ses tableaux : eux seuls, dans l'atelier.

Bacon travaillait rarement à partir de modèles vivants, trouvant embarrassant de procéder en leur présence aux distorsions qu'il souhaitait infliger à leurs traits. Lorsqu'il peignait une personne réelle, il préférait travailler à l'aide de photographies. Une rencontre intime et prolongée telle que celle que je viens d'entamer avec LF eût été impensable avec Bacon.

...

Durant cette première séance, l'image embryonnaire a entamé son existence sous la forme de quelques traits de fusain qui en viennent, au final, à ressembler à un visage : deux yeux apparaissent, un nez, une bouche, des sourcils énergiques, des cheveux ébouriffés. Il ne s'agit que d'une amorce provisoire ; d'un guide que LF, comme il l'explique, ne « suivra » pas forcément.

A la fin de la séance, vers 21 heures, LF annonce : « Je vais me changer, puis nous irons dîner. » Nous prenons un taxi pour aller au Wolseley, un restaurant qui a ouvert tout récemment sur Piccadilly. Il s'agit en fait d'une immense salle très animée, décorée dans une sorte de style art déco classique, au pied d'un splendide immeuble qui abritait une salle d'exposition de voitures pendant l'entre-deux-guerres. Une flopée de serveurs et serveuses vont et viennent avec empressement au milieu d'un brouhaha de conversations qui fait penser à une sympathique brasserie parisienne. LF connaît l'un des propriétaires, Jeremy King, qu'il me présente, avant de m'informer que King est un judoka

Naked Portrait with Egg, 1980–1981

chevronné, ceinture noire je crois, dont il me relate différents exploits.

Le repas d'après séance, tout comme le bavardage qui la précède pendant que LF se met en condition avant de commencer à travailler, fait de toute évidence partie de la procédure. « Après une séance de pose, j'aime me rapprocher le plus possible des sentiments et émotions de mes modèles. D'une certaine façon, je ne veux pas que le tableau vienne de moi, je veux qu'il vienne d'eux. » Le dîner est donc pour LF l'occasion d'une nouvelle observation informelle de son modèle, ainsi qu'une façon de conférer au processus de pose – qui pourrait devenir lassant – une agréable touche sociale. Poser en fin d'après-midi revient donc un peu à participer à un dîner marathon.

LF, qui pour l'instant mange avec délice ses moules-frites qu'il pioche dans un énorme récipient émaillé, reviendra le lendemain matin pour le petit déjeuner avec son ami le peintre Frank Auerbach. Comme je dois prendre le train de 23h15 qui me ramène à Cambridge, le repas se termine rapidement. Pour LF, il est beaucoup trop tôt. Se mettre au lit à 11 heures du soir lui est presque aussi difficile que se lever à 6 heures.

...

Il existe un rapport complexe entre peindre, cuisiner et manger. Très souvent, la nourriture, ou comme nous disons en anglais, une *still life* [littéralement « vie immobile »], constitue le sujet d'un tableau. Le terme français, *nature morte*, c'est-à-dire « vie morte », est d'une honnêteté glaciale. Le comestible est, en général, de la matière morte, animale ou végétale, qui, si elle n'est pas consommée, se gâtera vite. La chair vivante se fabrique en consommant d'autres organismes. C'est là un processus biologique fondamental, un processus que rappelle LF avec humour dans un de ses tableaux montrant un nu à côté de deux œufs frits (*Naked Portrait with Egg*, 1980–1981 ; p.16), et qui établit sans doute l'analogie la plus puissante entre le corps humain et les aliments que l'on puisse trouver dans toute l'histoire de l'art.

Les artistes qui, comme LF, s'intéressent à l'être physique des gens sont nécessairement intéressés par la nourriture. Francis Bacon répétait souvent que nous *sommes* de la viande et – que nous soyons d'accord ou pas sur le fait de savoir si la question va ou non au-delà – cette affirmation est incontesta-blement vraie. De surcroît la peinture – et notamment la peinture épaisse et pulpeuse souvent employée par les peintres qui cherchent à évoquer la texture et le poids de l'existence corporelle – a fréquemment recours à des techniques qui frisent le culinaire. Rembrandt, a-t-on découvert, utilisait un mélange d'huile et de blanc d'œuf pour épaissir ces merveilleuses touches de pigment dont il se servait pour recréer le renflement d'un nez ou les plis d'un front. En d'autres termes, il peignait avec une sorte de mayonnaise.

Une remarque de Sickert me vient à l'esprit : « Plus notre art est sérieux, plus il aura tendance à déserter la salle de dessin pour rester dans la cuisine. Les arts plastiques sont des arts grossiers qui traitent joyeusement les faits matériels bruts [...] et s'ils s'épanouissent dans l'arrière-cuisine ou sur le tas de fumier, le moindre souffle venu de la salle de dessin leur fait perdre tout éclat. »

Les « faits matériels bruts » sont, très souvent, exactement ce dont sont faits les tableaux de LF. Et même si beaucoup contesteraient qu'il les traite joyeusement (ce qui n'est pas, je crois, mon cas), il les aborde – du moins c'est mon avis – avec de la sympathie, de la tendresse et, sans aucun doute, un immense sérieux. Depuis cette première soirée, les visions et les odeurs des restaurants se mêlent dans mon esprit à ceux de l'atelier : huile de lin et huile d'olive, safran et ocre jaune.

1er décembre 2003

J e commence à réaliser que la conversation fait autant partie du processus de pose que le dessin et la peinture. L'art du portrait exige l'observation du sujet, non pas simplement comme une statue vivante inerte et immobile, mais comme un être qui bouge, parle, réagit en fonction des humeurs et des circonstances – certaines étant caractéristiques du comportement quotidien du modèle, d'autres plus exceptionnelles. Ce sont précisément ces mouvements des yeux et de la bouche, cette topographie mobile du visage qui font qu'une image ressemble à une personne vivante, et non à un masque de cire.

LF, par conséquent, est sans cesse en train d'observer. En vérité, ce charmant causeur est avant tout un observateur d'autrui, comme l'atteste son analyse concise de Max Ernst, le Parisien teutonique. Une façon infaillible de capter son attention est de lui décrire un comportement curieux, excentrique ou tout simplement particulier de quelqu'un, qu'il connaisse ou non cette personne ou ait même la moindre chance de la rencontrer. LF possède tout autant la sensibilité du romancier que le regard omnivore du peintre.

Il est également – et cela fait partie de son charme – un adepte de la conversation plutôt que du monologue. C'est-à-dire qu'il est toujours prêt à suivre n'importe quel sujet qui se présente, et s'intéresse à ce que vous avez à en dire. En fait, il s'intéresse intensément à vous. Evidemment, cela aussi est charmant. Cet intérêt pour autrui est toujours en éveil chez lui, mais il est peut-être particulièrement fort lorsque vous êtes le sujet d'un tableau. Nous avons très souvent bavardé auparavant, mais maintenant que je suis devenu la matière première d'une de ses œuvres, je ressens un niveau d'attention plus élevé encore.

Il s'avère qu'il est extrêmement aisé d'engager la conversation avec LF pendant qu'il travaille. Le seul inconvénient c'est que dès que le dialogue commence, il consacre plus d'attention à parler qu'à peindre. C'est pourquoi plus nous bavarderons, plus les séances deviendront agréables, mais plus l'achèvement du tableau sera long.

. . .

Le portrait est une forme d'art qui s'est développée en Occident durant cinq millénaires, depuis l'époque des pyramides. Son sujet est l'individualité d'une personne particulière : le modèle. Aussi, en un sens, un portrait concerne-t-il exclusivement le modèle. Mais bien entendu, il est aussi l'expression de l'esprit, de la sensibilité et du talent de son créateur : l'artiste. Un portrait par Rembrandt ou Vélasquez en révèle autant – sinon plus – sur eux que sur le Hollandais ou l'Espagnol du XVIIe siècle qui leur a servi de modèle.

Mais peut-être le véritable sujet d'un portrait est-il l'échange entre le peintre et son modèle – ce que le modèle révèle consciemment ou inconsciemment, et ce que l'artiste choisit d'en garder. Avec un peu de chance, une nouvelle entité émerge des séances de pose : un tableau qui sera réussi ou raté – c'est-à-dire reste dans la mémoire humaine ou disparaît – en fonction de sa puissance en tant qu'œuvre d'art.

. . .

Il s'ensuit que, comme d'autres formes d'observation, le portrait est une activité à double sens. En linguistique, il existe une problématique connue sous le nom de « paradoxe de l'observateur », qui a été formulée par le sociolinguiste William Labov. Ce paradoxe est le suivant : « Le but de la recherche linguistique au sein de la communauté est de découvrir comment les gens parlent quand on ne les observe pas systématiquement ; mais la seule façon d'y parvenir est de les observer systématiquement. »

L'artiste travaillant sur un portrait se trouve dans une position similaire. En m'observant, LF modifie mon comportement.

Dans l'atelier, je me comporte de façon légèrement différente qu'ailleurs.

Pour l'artiste il est important d'identifier les mouvements faciaux, les regards et les expressions par lesquels, pour une large part, nous nous reconnaissons et communiquons les uns avec les autres. Mais pour y parvenir, l'artiste doit interagir avec le modèle. Aussi la conversation n'est-elle pas seulement un produit secondaire des séances de portrait, une façon de passer le temps et d'empêcher le modèle de sombrer dans un abîme d'ennui. Bien entendu, c'est aussi cela, et c'est particulièrement utile dans le cas d'un artiste comme LF dont la manière de travailler exige que le modèle lui consacre un temps extravagant. Mais c'est aussi une nécessité.

Il y a bien longtemps, en 1954, alors que j'étais encore un tout jeune enfant, LF livra au magazine *Encounter* quelques notes sur son approche artistique, et ces notes décrivent toujours, d'une certaine manière, ce qu'il fait : « Le sujet doit être soumis à une observation attentive : si cela est fait jour et nuit, le sujet [...] finira par révéler le *tout* sans lequel la sélection elle-même est impossible. »

Ce que ne précisait pas le beaucoup plus jeune LF, c'est que cette observation implique nécessairement un échange. Pendant que l'artiste rassemble les matériaux nécessaires au portrait, le modèle – accidentellement et automatiquement – procède à une série identique d'observations de l'artiste. Lorsque ce tableau sera terminé, je serai en possession d'un portrait mental de LF, rassemblé au fil des heures que j'aurai passées à le regarder et à l'écouter.

...

Pour LF, tout ce qu'il représente est un portrait. Sa particularité dans l'histoire de l'art est qu'il est conscient de l'individualité d'absolument toute chose. Pour le formuler en termes philosophiques, il a une sensibilité résolument non platonicienne. Il n'y a dans son œuvre rien de généralisé, d'idéalisé ni de générique. Il est

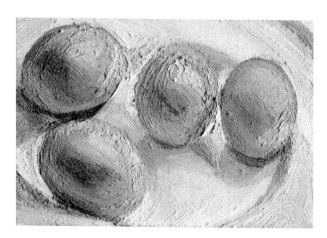

Four Eggs on a Plate, 2009

convaincu que les éléments les plus humbles et – pour la plupart des gens – les plus insignifiants possèdent leurs caractéristiques propres.

Même dans un article manufacturé comme une chemise, il découvrira toujours un petit quelque chose qui différencie cette chemise-ci de celle-là, peut-être un fil qui pend, ou bien une courbure différente du col. Il y a un an, alors qu'il était en train de peindre une nature morte représentant quatre œufs (p. 22), il découvrit au terme d'un examen attentif que chacun d'eux présentait des traits distincts. Aussi la nature morte vira-t-elle à une sorte de portrait de groupe. Il en découle que tous les tableaux de Freud représentant une personne sont des portraits. Il aime qualifier ses nus de « portraits dénudés ».

Dans son travail de la fin des années 1940 et du début des années 1950, cette concentration sur l'unicité s'exprima dans des niveaux extraordinaires de détails. Les portraits qu'il réalisa durant cette période semblent représenter le moindre cheveu sur le crâne de ses modèles. Ils comprennent des détails tels que les petites taches sur l'iris des yeux, ou chaque cil pris individuellement : des détails que l'on remarque à peine dans la vie de tous les jours. Cette attention au détail ne signifie pas, bien entendu, qu'il incluait même alors dans son dessin tout ce qu'il voyait. Il s'agirait d'une façon mécanique et, pour un artiste, improductive de travailler. Il sélectionnait et intégrait à son tableau ce qui lui paraissait pertinent.

A cette époque, les yeux et les cheveux semblaient le fasciner tout particulièrement. En termes biologiques et psychologiques, cet instinct est absolument correct. Quoiqu'il soit quasiment impossible, au-delà des généralités – cheveux bruns, nez épais, lèvres minces –, de donner une description précise d'un visage humain avec des mots, en réalité chaque assemblage de traits humains est individualisé dans les moindres détails. Chacun est unique.

Les volutes, rayons et taches de l'iris – dessinés avec tant de précision par LF dans des œuvres d'il y a plus d'un demi-siècle

Man at Night (Self Portrait), 1947–1948

comme *Man at Night (Self Portrait)* (1947–1948 ; p. 24) – diffèrent légèrement d'un individu à l'autre. Bientôt nous retirerons de l'argent au distributeur et franchirons les contrôles aux frontières sur la base de ces motifs présents dans nos iris.

Dans son livre *La Poétique de l'espace* (1958), le critique et philosophe Gaston Bachelard cite le conseil d'un dictionnaire de botanique : « Lecteur, étudiez la Pervenche en détail, vous verrez combien le détail grandit les objets. » « Prendre une loupe, commente Bachelard un peu plus loin, c'est faire attention. »

Il y a soixante ans, LF semblait peindre avec une loupe, ce qui donne une idée de l'intensité de l'attention qu'il portait à son sujet. Bien que son travail ait énormément évolué au fil des années, cet aspect-là n'a pas varié. Le processus dans lequel nous nous sommes engagés consistera, pour une part, à se concentrer sur des choses apparemment insignifiantes : le mouvement d'une mèche de cheveux, le drapé d'une veste.

Une autre façon de prêter attention à quelque chose est de consacrer du temps à l'observer. Sur ce point, LF est extravagant. Il prend tout le temps que le tableau semble exiger : toujours des dizaines d'heures, parfois des centaines. Les modèles humains diffèrent évidemment des œufs et des chemises par de nombreux aspects, l'un d'entre eux étant qu'ils ont conscience du temps qui passe. Et poser pour LF demande beaucoup de temps, même s'il est impossible de prévoir exactement combien. Il lui est arrivé d'abandonner un tableau après y avoir consacré des mois d'efforts, et d'y renoncer définitivement. Mais il peut aussi décider de s'y remettre après un long intervalle.

En ce moment, LF est en train de peindre des chevaux dans un haras découvert par son assistant, le peintre et photographe David Dawson, dans une lointaine banlieue de l'ouest de Londres. L'un des tableaux en cours, explique-t-il, représente le corps d'un cheval du garrot jusqu'à la queue, mais sans le cou ni la tête (p. 27). « C'est l'un des tableaux les plus sombres que j'aie faits car c'est une jument pie et l'étable est très obscure. C'est une sorte de nu.

Lucian Freud dans l'écurie, 2003

Skewbald Mare, 2004

Grey Gelding (travail en cours), 2003

L'autre tableau, d'un très vieil hongre, est un portrait. » Lorsqu'il dit cela, je suppose qu'il veut dire que le premier représente le corps de l'animal, l'autre sa tête.

La toile représentant la tête du hongre gris au haras (p. 28) vient d'être achevée – et n'aura exigé que vingt séances de pose, « ce qui est incroyablement rapide ». LF semble être un peu décontenancé par le brusque et rapide achèvement de ce tableau. « Pourtant, explique-t-il, d'un seul coup il a été totalement terminé. »

Normalement, la progression est beaucoup plus lente. Le tableau d'Andrew Parker Bowles en tenue de cérémonie d'officier de la cavalerie royale est commencé depuis treize mois. (LF pensait que cela ne durait que depuis peut-être six mois, mais il fut contredit par Parker Bowles qui, étant son modèle, savait parfaitement depuis combien de temps il posait.) La peinture en est à la zone des pieds du modèle et devrait encore se prolonger un bon moment. En attendant la prochaine séance, le tableau est rangé dans l'autre partie de l'atelier (p. 30).

Il arrive parfois qu'au fil du temps, les peintures augmentent en taille. Un grand tableau de David Dawson allongé nu sur un lit avec son chien Eli (p. 32) – et sur lequel LF travaille dans son autre atelier de Holland Park – est actuellement chez un artisan qui doit lui ajouter un pan de toile pour l'agrandir encore.

Nous verrons bien si mon portrait sera un Freud rapide, un Freud lent ou – déprimante perspective – un Freud qui sera abandonné à mi-chemin. Un très long laps de temps, sans doute de nombreux mois, s'écoulera donc avant que l'œuvre soit terminée. Comment vivrai-je le fait de rester assis dans ce fauteuil de cuir heure après heure, semaine après semaine ?

Lucian Freud peignant Andrew Parker Bowles, 2003

3 décembre 2003

Lorsque j'arrive, LF m'apprend qu'il ne se sent pas très bien : « Pas vraiment malade, mais inhabituellement mortel ; mais il faut dire que lorsque je me plains de ma santé, c'est en fait parce que je m'attends à me sentir en pleine forme tout le temps. » Ce matin il a passé environ quatre heures à travailler sur le dos et l'arrière-train du cheval, et a eu une longue séance avec une fille qui pose l'après-midi.

LF, qui auparavant avait l'habitude de travailler assis, s'est mis à travailler debout depuis un séjour à Paris dans les années 1950. Cela fait de sa procédure de travail, qui peut comprendre trois séances de pose et une dizaine d'heures de travail dans une seule journée, un rythme épuisant pour un homme qui aura très bientôt quatre-vingt-un ans (son anniversaire est dans cinq jours, le 8). LF prépare du thé vert et nous bavardons un moment avant de monter à l'atelier, où la séance commence.

Pour la première fois, de la peinture est appliquée sur la toile. Je découvre que LF se livre à un rituel préliminaire lorsqu'il s'apprête à utiliser des pigments. Tout d'abord il farfouille dans l'atelier pour trouver une palette, couverte de tortillons de peinture séchée semblables à de gros vers. Ensuite il passe un temps considérable à nettoyer soigneusement une zone dans la partie inférieure gauche, près de l'orifice où s'insère le pouce. Puis il effectue de nouvelles recherches pour trouver un pinceau convenable et, parmi les tubes entassés sur une petite table roulante et un buffet installé contre le mur, dégoter les couleurs adéquates. Dans la pile entassée dans un coin, il sélectionne un vieux drap d'une propreté convenable, en déchire un carré et le glisse sous sa ceinture comme le tablier d'un boucher ou d'un boulanger.

Ces chiffons constituent un autre élément de l'agencement de l'atelier. Ils sont empilés aux quatre coins de la pièce. Dans deux tableaux datant d'il y a une quinzaine d'années, deux nus du même modèle intitulés *Standing by the Rags* (1988–1989) et *Lying by the*

David and Eli (travail en cours), 2003

Rags (1989–1990), ils forment une part importante de l'architecture visuelle, ondulant comme les nuages d'une scène de saints au Paradis par Titien ou Véronèse, mais réels. A l'époque où LF vivait à Paddington, il habita pendant quelque temps au-dessus d'une boutique de chiffonnier. « C'est là que j'ai découvert que les chiffons m'étaient d'une grande utilité », se souvient-il. Depuis lors, ils ont toujours fait partie de son matériel et des meubles de ses ateliers.

Le chiffon-tablier sert à essuyer les pinceaux et, à l'occasion, le couteau à peindre. Les restes plus importants de peinture sur la palette sont directement essuyés sur les murs, où ils rayonnent par endroits, et sur le chambranle de la porte. De grosses gouttes de peinture sont incrustées dans le sol à force d'avoir été piétinées, des numéros de téléphone et des mots mystérieux griffonnés sur le plâtre. « Buddleia » peut-on lire par exemple. Deux chaises hautes, constellées d'éclaboussures de peinture, font office de dessertes supplémentaires sur lesquelles LF entasse un fouillis de tubes. Souvent il pose délicatement sa palette en équilibre précaire sur le dossier d'une des chaises lorsqu'il quitte la pièce.

L'effet produit par cet intérieur maculé de peinture fait irrésistiblement penser à certains tableaux abstraits ou – pour employer une autre métaphore – à un nid que LF aurait lentement et presque accidentellement élaboré par les gestes routiniers de son travail. Les murs eux-mêmes, en dehors des explosions stellaires et des croûtes laissées par l'essuyage vigoureux du couteau à peindre, sont badigeonnés d'un brun neutre.

A l'extérieur de l'atelier, de haut en bas de l'escalier, on voit partout de petites taches et gouttes de pigment qui créent un effet étrange dans cette demeure par ailleurs irréprochable du milieu du XVIIIe siècle. Un effet que LF accepte parce que, je suppose, cela humanise – personnalise – l'espace. « Parfois quelqu'un monte aux toilettes à l'étage, et j'adore les traces qu'il laisse au sol. »

Du point de vue architectural, cet atelier, l'un des deux dans lesquels LF travaille régulièrement, est composé d'une élégante double pièce de style géorgien avec deux belles cheminées d'époque et des fenêtres à volets intérieurs. Dans la moitié de la pièce où je pose, celle consacrée aux séances du soir, ces volets sont fermés en permanence. Cela ajoute encore à l'ambiance de calme et d'intimité de l'atelier. Dehors, on entend les bruits de la circulation, l'animation des boutiques et des restaurants, les cris des passants. Mais à l'abri des volets, les sons sont étouffés. Il règne à l'intérieur une atmosphère paisible et retirée. Rien ici ne doit se produire en dehors de la lente progression du tableau.

A propos de travail, je cite la formule de Duke Ellington : « Je n'ai pas besoin de temps, il me faut juste une date limite », qui traduit plus ou moins ma propre expérience. LF s'en amuse, mais son attitude est exactement contraire : « Quand on fait quelque chose qui a à voir avec la qualité, même une vie entière semble ne pas suffire. »

Le temps est son luxe, et il est prêt à en consacrer autant qu'il le faudra pour parvenir à un résultat satisfaisant, ce qui est encore un autre paradoxe car LF déborde d'énergie nerveuse ; aujourd'hui encore il est capable, par exemple, de se faufiler en courant au milieu de la circulation pour attraper un taxi. « Toute ma patience, remarque-t-il, est absorbée par mon travail, et il ne m'en reste plus une miette pour la vie ordinaire. »

…

Les ateliers d'artiste sont des lieux hautement spécialisés, tous différents les uns des autres. Un atelier d'artiste est, d'une certaine manière, l'équivalent de l'atelier d'un artisan. A l'instar d'une cuisine par exemple, c'est un lieu dédié à une activité particulière ; en l'occurrence, il ne s'agit pas de préparer des plats mais de produire de l'art. Et les ateliers sont au moins aussi variés que les cuisines, peut-être même plus encore. Certains sont aussi nets et ordonnés que des laboratoires. Dans le minuscule appartement parisien qu'il habita entre les deux guerres, Mondrian transforma son environnement de travail en un équivalent tridimensionnel de ses peintures. Il vivait parmi un arrangement soigneux de panneaux rectangulaires et de lignes verticales, seulement interrompu par un objet cylindrique : un poêle rouge vif.

Francis Bacon, en revanche, exécutait ses tableaux dans une véritable décharge d'objets dépareillés et de détritus – caisses de champagne, vieux 33 tours de Frank Sinatra, magazines et journaux contenant de possibles sources d'inspiration pour son travail, toiles abandonnées –, un fouillis qui, après sa mort en 1992, fut récupéré avec une minutie d'archéologue dans son appartement du 7 Reece Mews à Kensington pour être reconstitué à l'identique dans la Hugh Lane Gallery de Dublin.

L'atelier de LF se situe plutôt à l'extrémité anarchique et désordonnée de l'éventail, sans toutefois atteindre le chaos de celui de Bacon. Il a la qualité caractéristique de ne pas être arrangé, mais d'être – comme le sont les modèles dans ses tableaux – exactement comme il est, la beauté aristocratique des lignes architecturales ayant été laissée exactement dans l'état où il l'a trouvée. L'odeur omniprésente de la peinture à l'huile y ajoute une touche sensuelle. LF adore la peinture, à tel point qu'il aime tomber par hasard sur une odeur d'huile de lin parce qu'elle lui rappelle la peinture.

Dans cet atelier, d'innombrables œuvres voient ou ont vu le jour, beaucoup achevées depuis plus ou moins longtemps, quelques-unes en cours. En sus de mon portrait et du tableau en pied d'Andrew Parker Bowles en uniforme, il y a une gravure de la fille qui vient l'après-midi et un nu, quasiment achevé, pour lequel un modèle vient poser les soirs où je ne viens pas. Dans ce tableau, le modèle est assis sur le lit en fonte – un meuble sur lequel de nombreux corps différents ont posé durant des heures interminables –, le dos appuyé à un coussin, avec des cerises répandues sur le matelas à côté d'elle (p. 36). LF a récemment ajouté des plumes de la garniture sortant de l'oreiller posé sous les jambes du modèle. Cet ajout a pour effet d'animer le bas du tableau. Il faut faire très attention en passant à côté du lit, car le moindre courant d'air pourrait déplacer les plumes. Ici, le duvet aussi pose.

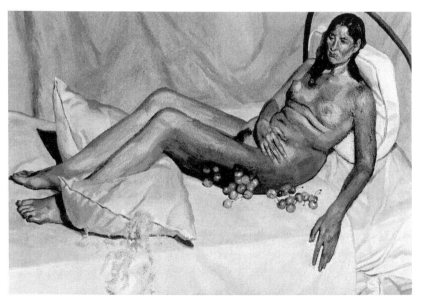

Irish Woman on a Bed, 2003–2004

Il serait faux de dire que les tableaux de LF sont mis en scène ; en fait, ils sont tout le contraire : ils sont dépourvus de tout effet théâtral. Mais comme il le fait avec ses modèles humains, il s'efforce pour chaque nouvelle œuvre de trouver des aspects nouveaux et différents aux meubles et à l'architecture de cette pièce presque nue. Il explique qu'il a passé beaucoup de temps à peindre le parquet et s'évertue en permanence à trouver de nouveaux moyens de représenter ces lattes de bois usées et constellées de pigment.

Je lui demande s'il sait comment il va poursuivre le tableau une fois la séance terminée.

« Non, je m'abstiens délibérément d'y penser – et cela est moins dû à une tournure d'esprit spéciale qu'au refus d'avoir une méthode particulière. Je n'aime pas prévoir. Quand je ne travaille pas dessus, je range mes tableaux ici contre le mur, et parfois quand je veux en retrouver un, il faut vraiment que je cherche. Cela, en un certain sens, fait aussi partie du processus. Quand je travaille sur une toile, je ne veux pas penser à mes autres tableaux en cours. J'en ai généralement cinq ou six en train au même moment. Mais quand je travaille sur l'un d'eux, je veux pouvoir me dire que c'est le seul de mes tableaux qui existe – d'une certaine façon, je veux même que ce soit le seul tableau qui existe au monde. »

Chaque tableau a son propre décor, et différentes pièces du mobilier y figurent. Entre les séances, ces lits et chaises sont poussés à l'écart, et les tableaux eux-mêmes disposés contre les cloisons, face tournée vers le mur.

Même si cela n'est souvent pas relevé par les critiques, il existe dans le travail de LF une très nette distinction entre un tableau de jour et un tableau de nuit. Il est essentiel pour lui que la source de lumière pour un tableau donné soit constante. Pour mon portrait, il s'agit d'une flaque de lumière électrique projetée par une puissante lampe suspendue au plafond à peu près à mi-distance entre nous. Une fois mis en place, cet agencement doit rester inchangé jusqu'à ce que le tableau soit achevé. Il en vient à faire partie de votre existence. On prend même conscience des décors des autres tableaux qui sont en cours d'exécution dans l'atelier. Leurs modèles deviennent des compagnons invisibles.

…

Quand on y réfléchit, LF est essentiellement un peintre d'intérieur. Pratiquement tous ses sujets humains sont observés dans l'atelier, et même les chevaux sont peints dans leur écurie. Presque tous ses paysages sont vus depuis une fenêtre d'atelier. A vrai dire, quand je me dirige vers ma place dans le fauteuil devant le chevalet, j'aperçois en passant un de ses sujets botaniques. A travers le châssis à guillotine de la grande fenêtre du XVIIIe siècle qui s'ouvre à l'arrière de l'atelier, on distingue les feuilles et les fleurs d'un immense buddleia – un véritable arbre – qui oscillent dans la brise (p. 39).

Les goûts de LF en matière de plantes et de paysages ressemblent beaucoup à ses préférences concernant les modèles humains. Il les aime sans apprêt, tels qu'ils sont réellement. Son attitude à l'égard de son jardin en est la parfaite illustration. Le jardin a été envahi par un véritable bosquet de buddleias, un arbuste sauvage commun à Londres que beaucoup considèrent comme une mauvaise herbe, mais qu'il a laissé pousser à sa guise. Il y a deux ans, les arbustes avaient tellement grandi qu'ils formaient un épais taillis presque impénétrable qui fut le sujet de deux gravures.

La seconde, et pour l'instant la dernière de ces gravures de jardin est, dans le travail de LF, ce qui se rapproche le plus d'une œuvre exécutée en plein air (p. 40). Elle a été faite sous la véranda à l'arrière du rez-de-chaussée de la maison, où la plaque de cuivre est restée sur son chevalet pendant plusieurs mois d'affilée, maculée de fientes d'oiseaux jusqu'à ce qu'elle soit presque aussi patinée qu'une pierre ou un tronc d'arbre. Ce fouillis végétal amena LF à des effets proches de ceux créés par un peintre abstrait tel que Jackson Pollock.

LF est absolument dépourvu de préjugés à l'encontre de quelque style ou médium artistique que ce soit, mais il attend d'une

Garden from the Window, 2002

The Painter's Garden, 2003–2004

œuvre d'art qu'elle possède une certaine qualité de réalité. Il admire les toiles géométriques de Mondrian, qui semblent pourtant fort éloignées de son propre travail. Mais il précise que – comme toutes les bonnes choses – elles ont « en elles une impression du monde, vous ne trouvez pas ? Je ne m'intéresse qu'à l'art qui d'une manière ou d'une autre cherche la vérité. Je me fiche complètement de savoir si c'est abstrait ou quelle forme il prend ».

…

Le contexte est essentiel pour le portrait. En fait, selon Malcolm Gladwell dans son livre *Le Point de bascule* (2000), le « pouvoir du contexte » est essentiel à toutes sortes d'activités humaines. Nous sommes, affirme-t-il, « délicieusement sensibles » aux changements de contexte. Ainsi, dans un environnement sale et couvert de graffiti, les gens commettront des infractions auxquelles ils ne se livreraient pas dans un espace propre et ordonné. Séparez des étudiants américains d'esprit libéral en groupes de gardiens et de détenus, placez-les dans un bâtiment ressemblant à une prison et très vite les premiers se transformeront en brutes impitoyables et les seconds en victimes serviles.

« Le caractère, écrit Gladwell, n'est pas ce que nous pensons qu'il est ou, plutôt, ce que nous voudrions qu'il soit. Il ne s'agit pas d'un ensemble de traits stables et aisément identifiables. [...] Le caractère ressemble plus à un faisceau d'habitudes, de tendances et d'intérêts plus ou moins étroitement reliés entre eux et, à certains moments, dépendants des circonstances et du contexte. La raison pour laquelle la plupart d'entre nous semblent avoir un caractère solide est que la majorité d'entre nous sont très doués pour contrôler leur environnement. »

Mais retrouvons-nous dans un métro crasseux et mal entretenu et il est probable que nous nous comporterons d'une façon différente de celle que nous aurions dans une soirée mondaine. Ou, pourrait-on ajouter, dans l'atelier d'un artiste.

L'atelier de LF est un endroit très inhabituel. Il est possible que dans cet endroit étrange et durant ces très longues séances de pose, les gens deviennent, comme le note David Dawson, « le plus eux-mêmes », même si cela veut dire sombrer dans l'ennui et la lassitude, ou se perdre dans un dédale intérieur de pensées et d'associations d'idées.

Ou bien alors, comme l'a soutenu le philosophe Derek Parfit dans des articles sur lesquels j'ai moi-même écrit il y a très longtemps lorsque j'étais encore étudiant, l'identité individuelle constante n'existe pas. Seules existent réellement dans notre cerveau des connexions – des souvenirs, des traits de caractère qui perdurent dans le temps, mais plus dans certains cas que dans d'autres.

Dans mon cas, la pelote des souvenirs remonte à ce jour de ma vie où, à deux ans, j'étais assis dans ma poussette, devant l'épicerie du quartier où nous habitions, lorsque mon père arriva de façon inopinée en voiture, ce qui me causa une telle surprise et un tel bonheur que cet événement banal s'est gravé pour toujours sur le disque dur de mon cerveau. La chaîne des souvenirs de LF remonte pour sa part à l'Allemagne de la république de Weimar dans les années 1920, époque à laquelle il échangeait des images de paquets de cigarettes sur la Potsdamer Platz et partait en vacances à la mer sur la petite île de Hiddensee, au large de Rügen sur la Baltique.

Suis-je resté le même individu que celui qui avait transcrit sur le papier ses réflexions à propos de Parfit et de ses théories il y a plusieurs décennies ? Ma foi, sous certains aspects, oui – mais certainement pas entièrement. Dans ce cas, que peint exactement un peintre de portrait ? Un individu qui perdure à travers le temps, ou seulement la façon dont apparaît à un certain moment et dans un certain endroit un organisme humain en mutation permanente ? C'est une bonne question.

…

Au début, je trouvais que les séances de pose ressemblaient à des rendez-vous chez le coiffeur, mais à présent j'ai le sentiment que c'est plus intense que cela. L'expérience ne ressemble à aucune autre dans la mesure où le modèle – en l'occurrence moi – est devenu un mystère : une énigme à résoudre. LF se penche parfois en avant, les mains en visière sur le front tel un marin cherchant à apercevoir la terre ferme. Quand il peint il a le comportement d'un explorateur ou d'un chasseur dans quelque sombre forêt. Il m'observe, sa palette en main, serrant entre le petit doigt et l'annulaire les pinceaux dont il ne se sert pas, lesquels pointent comme des flèches hors d'un carquois. Son attitude est un mélange d'audace et de prudence : une détermination intense à rendre exactement les choses.

Souvent, avant de tracer un coup de pinceau, son effort de concentration fait pousser à LF un léger soupir. La même attention est portée au mélange des couleurs : « Un tout petit peu, à mon avis », « Non, ce n'est pas ça ». Et souvent il émettra un nouveau soupir, accompagné d'un geste à mi-chemin entre le haussement d'épaules et la levée triomphale des bras lorsqu'il a appliqué un coup de pinceau qui le satisfait, comme si, occupé à édifier un château de cartes, il venait d'en poser une particulièrement délicate. Lorsqu'il est profondément concentré il ne cesse de marmonner en se donnant des instructions : « Oui, peut-être, un peu », « C'est ça ! », « Non, non, je ne crois pas », « Un peu plus jaune ». De temps à autre il s'apprête à tracer un coup de pinceau, mais suspend son geste, réfléchit, puis examine à nouveau, mesurant mon visage avec de petits mouvements du pinceau auquel il fait décrire des arcs de cercle ou place verticalement devant lui. Tout le processus est hautement mesuré et réfléchi.

Lorsque je me lève et me dégourdis les jambes après une quarantaine de minutes d'immobilité, et en dépit de ce qui paraissait être un travail vigoureux du pinceau, la toile semble n'avoir que peu changé. A la fin de l'après-midi, deux sourcils sont apparus, ainsi qu'un peu de chair autour de l'arête de mon nez.

…

Still Life with Book, 1993

En 1939, alors qu'il avait seize ans, LF reçut en cadeau un livre illustré intitulé *Geschichte Aegyptens* (Histoire de l'Egypte). Il n'a cessé de le consulter depuis lors, s'attachant tout particulièrement à une double page comportant les photographies de deux des portraits en plâtre mis au jour dans les ruines de l'atelier du sculpteur officiel Thoutmôsis à Amarna en Moyenne Egypte. Au début des années 1990, LF exécuta deux tableaux et une gravure de ce livre, ouvert à cette page où l'on voit les visages de personnes vivant au XIVe siècle avant Jésus-Christ (p. 44). Ces portraits antiques signifient beaucoup pour lui. Ils sont, pourrait-on dire, des représentations de l'être pur. En dehors du fait qu'il s'agit de visages d'Egyptiens de l'Antiquité vivant à la cour du pharaon hérétique Akhénaton, il est impossible d'avoir la moindre certitude à leur sujet. Mais cela n'affecte en rien leur capacité à émouvoir et à fasciner, trois mille ans après avoir été réalisés.

Cela soulève un aspect plus large de la nature du portrait. Parfois les portraits nous intéressent en raison de la personne qu'ils représentent – notre grand-père, ou Henry VIII. Le plus souvent, cependant, nous ignorons de qui il s'agit et nous nous en moquons. Savoir que La Joconde était probablement une Florentine du nom de Lisa Gherardini ne modifie en rien notre réaction devant le tableau, car nous ne savons pratiquement rien d'elle. L'attrait qu'exerce le tableau est dû entièrement à son exécution réussie (ou non, si vous êtes d'accord avec LF qui estime que « quelqu'un devrait écrire un livre qui expliquerait à quel point Léonard de Vinci était un mauvais peintre »).

Tout bien considéré, c'est un fait remarquable que l'on puisse être à ce point impressionné et concerné par la représentation de gens disparus depuis longtemps, dont nous ne savons pas le nom et ignorons tout de la vie. La raison tient peut-être au fait que nous voyons dans leurs traits ce que nous connaissons des gens qui nous entourent : amis, parents, connaissances. Lorsque les fouilleurs travaillant pour un des premiers égyptologues, Auguste Mariette, mirent au jour une statue en bois de la cinquième dynastie (soit antérieure de dix siècles aux portraits du livre de LF), ils s'exclamèrent aussitôt : « Sheikh el-Belad ! » – le titre arabe du chef de village – car le personnage ressemblait beaucoup au dirigeant de leur propre communauté (p. 47). Un spectateur du XXIᵉ siècle pourrait remarquer qu'il ressemble beaucoup à Leigh Bowery, le modèle préféré de LF au début des années 1990.

Nous réagissons à un *Portrait d'homme* par Jan van Eyck ou Titien, dont nous ignorons tout de la personnalité du modèle, exactement de la même façon que devant ces portraits en plâtre égyptiens – ou que devant beaucoup des œuvres de LF. Parfois, notamment lorsqu'il peint des collègues artistes comme David Hockney, il donne au portrait le nom de son modèle. Mais beaucoup plus fréquemment, il s'en abstient. *Red Haired Man on a Chair* (1962-1963), *Woman in a White Shirt* (1956-1957) : voilà des titres beaucoup plus caractéristiques. C'est une façon de souligner que les détails personnels du modèle – le fait que la « Femme en chemise blanche », par exemple, soit la duchesse de Devonshire – n'ont guère d'importance. Ce qui importe c'est le résultat de son observation et de sa concentration : le tableau.

Cela satisfera peut-être l'ambition avouée par Van Gogh à sa sœur Wilhelmina dans une lettre écrite le 5 juin 1890, un mois avant son suicide. « Ce qui me passionne le plus, beaucoup, beaucoup davantage que tout le reste dans mon métier – c'est le portrait, le portrait moderne. Je le cherche par la couleur et ne suis certes pas seul à le chercher dans cette voie. Je voudrais, tu vois, je suis loin de dire que je puisse faire tout cela mais enfin j'y tends, je voudrais faire des portraits qui un siècle plus tard aux gens d'alors apparussent comme des apparitions. Donc je ne nous cherche pas à faire par la ressemblance photographique mais par nos expressions passionnées. »

...

Ka-aper (Sheikh el-Belad), Égypte, 5ᵉ dynastie, v. 2475–2467 av. J.-C.

Les anciens Egyptiens ont créé les premiers grands portraits à avoir survécu jusqu'à nous. Peut-être est-ce cette raison qui poussa Francis Bacon à décréter que ce sont les plus grands artistes de tous les temps. En tout cas, des sculptures comme le *Sheikh el-Belad* présentent des caractéristiques qui suscitent la réflexion. L'une d'elles est que ces sculptures n'étaient pas destinées à être vues, mais à rester scellées dans le tombeau de la personne qu'elles représentaient. Elles étaient souvent conçues comme des substituts, des « demeures alternatives pour l'esprit – "ka" – du défunt ». La notion troublante de portrait comme alter ego, comme jumeau caché – le thème de Dorian Gray – semble remonter au tout début de l'art du portrait.

L'autre point est que même si elles pouvaient parvenir à une certaine fidélité de représentation – ou du moins à une impression convaincante de visage vivant –, les Egyptiens ne semblaient guère y prêter d'importance. Les sculptures des visages préoccupés et profondément songeurs des pharaons du Moyen Empire apparaissent comme les plus magnifiques représentations d'individus précis. Mais peut-être ne s'agit-il pas de vrais portraits, en réalité – ils se ressemblent d'ailleurs curieusement lorsque vous les placez côte à côte –, mais d'images de la lassitude d'être roi. Aussi il se pourrait bien que lorsque nous contemplons une de ces sculptures, nous ne regardions pas, par exemple, le pharaon Sésostris mais, comme le dit LF, l'humanité elle-même.

Il y a près d'un demi-siècle, dans son article pour *Encounter*, LF formulait quelques phrases qui semblent indiquer que pour lui, la ressemblance exacte n'est pas et ne peut être le but d'un portrait. « L'artiste qui tente de servir la nature n'est qu'un exécutant. Et du fait que le modèle qu'il reproduit aussi fidèlement ne sera jamais accroché à côté du tableau, puisque le tableau existera par lui-même, peu importe qu'il s'agisse ou non d'une copie exacte du modèle. »

5 décembre 2003

C'est une journée froide et lumineuse. LF m'annonce qu'il n'a pas dormi la nuit précédente, ou en tout cas qu'il n'a fait que somnoler. Il s'est levé à 4 heures du matin et a envisagé de se mettre à peindre – mais pour une fois, il n'en a pas eu envie et s'est recouché. Lorsqu'il lui arrive de s'installer à son chevalet aussi tôt, il a le sentiment qu'à 7 heures, quand les gens commencent à passer devant chez lui pour aller au travail, il a « déjà accompli quelque chose ».

Plus tard il a eu très froid dans les écuries du haras. Mais une fois qu'il se met à peindre, il paraît grandir et rajeunir. « C'est la première fois de la journée que je me sens aussi bien », déclare-t-il. Au lieu de ses habituelles bottes constellées de peinture, il est chaussé d'une paire de baskets toute neuve avec des sortes de gros ressorts entre l'empeigne et la semelle qui lui permettent de rester debout durant des heures. En fait, il se tient moins debout qu'il ne danse sans arrêt – prenant du recul pour étudier un effet, se penchant en avant pour mieux m'examiner, allant et venant dans l'atelier pour dénicher un tube de jaune de Naples ou de terre d'ombre brûlée.

Aujourd'hui, il s'attaque à mon front. A l'occasion d'une pause, je commence à voir la façon dont la structure émerge peu à peu, avec deux grandes ombres en forme de trombone de part et d'autre, et des zones de différents roses et beiges qui apparaissent entre les deux.

Cette partie du visage peut paraître un point de départ arbitraire. A la réflexion toutefois, peut-être qu'il n'en est rien. Quand on leur demande de désigner leur « moi » sur leur visage, beaucoup de gens indiquent un point situé au-dessus de l'arête du nez. Physiologiquement, derrière le front se trouve le cortex frontal, une zone du cerveau qui contrôle l'émotion et joue un rôle important dans l'élaboration des jugements. Ce n'est donc pas un mauvais endroit par où commencer, étant donné que la méthode de LF

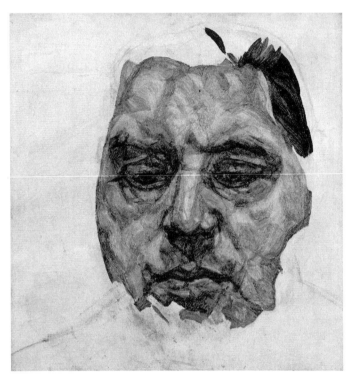

Francis Bacon, 1956–1957

exige qu'il place une série précise de marques sur la toile. Sa façon de travailler est extrêmement originale. D'autres peintres la qualifient de « complètement cinglée ». En commençant un tableau comme ce portrait, de nombreux artistes traceraient tout d'abord une esquisse approximative de l'ensemble du visage, qu'ils entreprendraient ensuite de préciser, affiner et aiguiser jusqu'à ce que l'ensemble soit achevé.

LF, en revanche, comme il le fait avec ce tableau-ci, a tendance à poser une tache de peinture au centre de la toile, puis à travailler lentement à partir d'elle, créant une mosaïque de pigment qui s'étend peu à peu sur toute la surface. S'il lui arrive de rectifier ensuite ces premières pensées, les zones qu'il peint acquièrent assez vite un air « achevé », alors qu'elles sont encore environnées d'espaces de toile vierge. On peut retrouver ce processus dans des tableaux inachevés comme le portrait de Francis Bacon qu'il abandonna lorsque son modèle partit au Maroc – ou pour une destination de ce genre – en 1957, et ne reprit plus jamais par la suite (p. 50).

...

Dans l'escalier montant à l'atelier je mentionne Emile Zola, que je suis en train de lire, car Van Gogh admirait beaucoup ses romans. LF, s'avère-t-il, ne l'aime guère. « Ce n'est pas qu'il soit vraiment mauvais, mais son œuvre est pleine de faux sentiments. A vrai dire, tous les sentiments y sont faux. »

Le « faux sentiment », voilà exactement ce que LF n'apprécie ni dans la vie ni dans l'art. Ce qu'il dit de l'auteur de *Germinal* est proche de ce qu'il déclare au sujet des couleurs lors d'une discussion portant sur le fait qu'il n'aime pas prendre de la drogue. « Les gens disent des choses comme : "Oh, ça me fait voir des couleurs tellement merveilleuses…", ce qui pour moi est une idée horrible. Je ne veux pas voir des couleurs merveilleuses. Je veux voir les couleurs habituelles, ce qui est déjà suffisamment difficile. Ils disent aussi que ça les fait sortir de ce monde, or moi je n'ai pas envie d'être hors de ce monde, je veux être complètement dedans, tout le temps. » LF n'aime pas Zola parce qu'il trouve que tout est faux chez lui : aussi bien les personnages que leurs actions et la façon dont elles sont décrites.

LF est un gros lecteur de journaux – il y en a toujours des piles entières sur le sol du rez-de-chaussée : l'*Evening Standard*, le *Times*, le *Guardian*, le *Telegraph*, le *Daily Mail* –, ainsi que de poésie et de romans. Quand il n'aime pas quelque chose ou quelqu'un, il peut se montrer cinglant. LF a déclaré à propos d'un célèbre auteur vivant : « Il a ce truc mortel, la touche populaire » – un jugement magnifiquement méprisant chez un artiste qui a patienté plusieurs décennies avant que le public ne commence à apprécier son travail.

LF adore critiquer, une activité que, de manière caractéristique, il envisage du point de vue de ses effets psychologiques et physiologiques : « Ça vous met le cœur en joie. » Lorsqu'il évoque des artistes qu'il n'apprécie pas, LF se montre encore plus cruel. Ainsi à propos de Dante Gabriel Rossetti : « C'est le pire des préraphaélites. Son œuvre est pour moi ce qui dans la peinture se rapproche le plus de la mauvaise haleine. »

Mais d'un autre côté il revient souvent, au cours de la conversation, sur certains livres et auteurs pour lesquels il éprouve un enthousiasme sans réserve, comme nous devrions en avoir, affirme-t-il, pour les gens qu'on aime d'amitié ou d'amour, et dont on devrait aimer jusqu'aux défauts. Henry James est l'un de ses romanciers préférés, tout comme Gustave Flaubert et Thomas Hardy. De ce dernier il dit : « Je l'aime tellement que j'ai même lu ses romans ennuyeux, car ils sont ennuyeux à la manière dont la vie réelle est ennuyeuse. J'ai même été jusqu'à lire des choses comme *Le Trompette-major*, que probablement quasiment personne n'a lu. »

Au cours de sa longue existence, LF a noué des liens amicaux avec un certain nombre d'écrivains parmi lesquels, dans les années

1940 à l'époque de sa jeunesse, W. H. Auden et George Orwell. « J'ai bien connu Orwell vers la fin de sa vie. Je l'avais rencontré alors que je travaillais au magazine *Horizon* – enfin, je collais des timbres sur des enveloppes, ce genre de choses. Je me souviens lui avoir rendu visite à l'hôpital dans ses derniers jours, et il m'a avoué que lorsqu'il souffrait, il se consolait en imaginant qu'il arrivait la même chose ou pire encore à des gens qu'il n'aimait pas. Il trouvait que c'était une chose terrible à imaginer, mais je crois que tout le monde a de temps à autre ce genre de pensées.

« Je lisais régulièrement les chroniques d'Orwell dans *Tribune*, un magazine très lu à l'époque. Certains de ses romans sont bons. Pour moi, *1984* est illisible, mais *Un peu d'air frais* est pas mal. Nous nous retrouvions au Café Royal, et même si certaines de ses opinions me paraissaient excessives, ce que j'aimais chez lui, c'est qu'elles étaient toujours argumentées. Mais c'était quelqu'un de profondément inesthétique. Quand vous mentionniez devant lui que tel tableau ou telle sculpture était une belle œuvre d'art, il semblait complètement décontenancé. "Que voulez-vous dire ? rétorquait-il. Prouvez-le !"

« Orwell avait raison sur beaucoup de choses – la perversité de Staline, par exemple –, ce qui continue d'en irriter certains. C'était un journaliste extrêmement consciencieux, je dirais même qu'il poussait l'honnêteté jusqu'au point de la transformer en véritable imagination. » C'est là une réflexion typique de LF. Il aime l'idée qu'une qualité aussi humble que l'honnêteté soit tellement accentuée qu'elle confère à celui qui la possède une vision spéciale. L'imagination est une qualité à laquelle LF accorde une grande valeur, tout comme la vivacité – à laquelle elle est probablement liée à ses yeux. Une bonne partie de ce que l'on attribue habituellement à l'intelligence, souligne-t-il, relève en vérité de l'imagination – c'est-à-dire de la capacité à voir les choses telles qu'elles sont réellement.

16 décembre 2003

Nous reprenons les séances, que j'avais interrompues pour un séjour dans le sud-ouest des Etats-Unis. LF m'informe qu'à la demande de Geordie Greig, le rédacteur en chef de *Tatler*, il est en train d'écrire une nouvelle version d'un texte sur la peinture qu'il avait écrit en 1954 et que ce magazine souhaite publier à nouveau. « Je lui ai répondu que j'étais bien entendu d'accord, mais que je désapprouvais totalement une bonne partie de ce que je disais à l'époque. Alors il m'a demandé d'écrire un autre texte dans lequel j'expose mes idées actuelles sur la question. »

En quoi sa réflexion a-t-elle changé au cours de ces quarante-neuf dernières années ? « Aujourd'hui je sais que la chose essentielle dans le fait de peindre, c'est la peinture : que ça concerne exclusivement la peinture. Pour l'instant, je n'ai écrit que trois phrases. J'ai réfléchi à une quatrième aujourd'hui, dans un taxi. Ecrire est si incroyablement difficile que je ne comprends pas comment on peut être écrivain. »

…

Avant de monter à l'atelier, nous bavardons encore un moment au sujet de *La Madone des roses* (v. 1506–1507) de Raphaël, que la National Gallery de Londres souhaite acquérir. Raphaël, maître d'une lisse élégance de la Haute Renaissance, est un peintre qui n'intéresse absolument pas LF. Devant ses tableaux, il lâche : « Parfois je ne sais même pas dans quel sens les regarder », une façon de dire que les personnages de Raphaël sont dépourvus de cette sensation de poids et de particularité physique qu'il apprécie tant.

Il est même tenté de se ranger aux côtés de ceux qui affirment que *La Madone des roses* n'est pas vraiment authentique – mais c'est pour une raison très paradoxale : « En général, je n'aime pas les Raphaël, mais celui-ci ne me déplaît pas. » En fait, quand on examine le tableau avec cette réflexion à l'esprit, on peut déceler

Nicolas Poussin, *Et in Arcadia Ego*, 1628

dans sa délicatesse, son intimité et sa fraîcheur un écho de la touche de Freud.

Je pense pour ma part que cette toile est authentique, mais ce que traduit en réalité la remarque de LF, c'est qu'il n'apprécie Raphaël que lorsque celui-ci n'est pas raphaélite. De la même façon, il admire parfois Nicolas Poussin – mais seulement lorsque celui-ci s'éloigne de Raphaël et se rapproche de Titien.

« Il y a un très bon Poussin au château de Chatsworth, dit-il. Il fait partie de ceux qui ne riment pas. » Le tableau en question, la première version des *Bergers d'Arcadie* (1628 ; p. 55) a en effet tout pour plaire à LF. Au premier plan somnole un dieu de la rivière dont le dos à la fois puissant et flasque rappelle celui de Leigh Bowery dans le tableau de LF *Naked Man, Back View* (1991–1992 ; p. 57). Derrière lui, trois personnages – une jeune femme délicatement représentée, une nymphe et un homme barbu – se tiennent devant une tombe dont ils sont en train de déchiffrer l'inscription « Et in Arcadia Ego » (« Moi aussi je vis en Arcadie »). C'est un tableau sur la confrontation avec la réalité de la mort.

Lorsqu'il parle de tableaux « qui riment », il fait allusion au flux gracieux des formes dans lequel chacune est liée ou fait écho à l'autre. « Je pense que d'une manière ou d'une autre, quand toutes les formes s'assemblent de manière lisse et propre, le tableau n'est jamais vraiment mémorable. C'est pourquoi il me semble que Poussin est un peintre italien et non français. J'adore vraiment la peinture française, pas l'italienne. Dans le même ordre d'idées, je pense que Titien n'est pas un peintre italien. »

C'est exprimé de manière assez malicieuse, mais on voit bien ce que LF veut dire. Dans son langage, « italien » signifie « raphaélite », alors que « français » implique le sentiment d'une réalité non homogénéisée. C'est ce qu'il recherche dans son travail : une sensation du poids, de la texture et de la particularité irréductible de ce qu'il voit. De façon légitime et inévitable, les artistes jugent l'œuvre des autres artistes en fonction de leur propre travail. C'est pourquoi Johannes Vermeer compte parmi

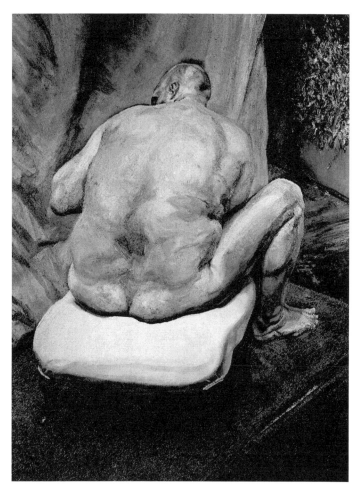

Naked Man, Back View, 1991–1992

les peintres qu'il n'apprécie guère. Pour lui, les personnages des tableaux de Vermeer n'ont pas de substance. « Ce n'est pas, précise-t-il, une question d'incompétence. C'est juste que, curieusement, ses personnages ne sont pas présents. » Il préfère de loin Chardin, dans le travail duquel, malgré son côté posé propre au XVIIIe, la peinture crémeuse semble véritablement devenir la peau même des personnages. On a l'impression qu'on pourrait prendre par la taille sa *Jeune Maîtresse d'école* (p. 186) de la National Gallery de Londres.

En 1995 j'ai écrit dans une chronique pour le magazine *Spectator* que la fameuse formule de Francis Bacon sur « la brutalité des faits » pouvait également s'appliquer au travail de LF. Le critique David Sylvester, ami et intervieweur de Bacon, s'opposa aussitôt à cette idée dans un article paru dans un autre magazine.

« Bacon a trouvé cette formule alors qu'il cherchait à définir une qualité essentielle qu'il constate chez Picasso mais dont Matisse lui paraît manquer, une qualité qui indique clairement une appréhension de la condition humaine, laquelle exige à son tour un certain degré d'universalité. Freud ne semble observer le monde qu'au travers de ses propres yeux, peignant des scènes séduisantes ou répugnantes au gré de sa fantaisie personnelle. »

En l'occurrence, me semble-t-il, Sylvester a fait ce que font souvent les critiques : en attaquant sur un point précis, il met précisément le doigt sur la qualité positive unique et merveilleuse de l'objet de son attaque. C'est justement la façon qu'a LF de traiter le monde comme étant composé entièrement d'éléments individuels uniques – personnes, animaux, objets – qui est sa plus grande force. Il a résisté à la tendance de l'art moderniste de soumettre la complexité du monde à un style ou à un concept. Mais il est possible que « la brutalité des faits » ne soit pas la formule qui définisse le mieux son travail. Peut-être que « l'étrangeté de la vérité » le cernerait mieux.

…

Bien que son art n'ait rien à voir avec la narration ou le fait de raconter des histoires, LF a une attitude de romancier vis-à-vis des gens ; il est animé d'un appétit insatiable pour les différents types de comportement et de caractère, tant qu'il les estime authentiques et non faux, affectés ou ternes. Il évoquait un jour devant moi son « côté Haroun al-Rashid ». De même que l'on disait que le calife sortait discrètement de son palais la nuit pour se mêler incognito aux habitants de Bagdad, LF s'est aventuré dans de nombreux et divers chemins de traverse et strates de la vie londonienne, y compris, à une époque, en fréquentant une pègre qui n'aurait pas manqué d'intriguer Honoré de Balzac ou Charles Dickens.

Au cours d'une pause, il me confie qu'il découvrit un jour qu'il était fiché par la police comme « lié à des criminels ». « Ça peut paraître étrange mais c'était exactement ça. J'en faisais même un peu trop, en vérité. Ils me confiaient une valise en me disant : "Garde ça à l'œil, Lu", et quand je regardais à l'intérieur, elle était pleine de billets.

« C'était mes voisins à Paddington. Après avoir abandonné mon travail sur un navire marchand en 1942, quand j'ai décidé de m'installer à Londres et de peindre, j'ai trouvé là-bas une immense maison pour un loyer dérisoire – ça coûtait quelque chose comme 80£ par an, je crois. Mon père affirmait que la guerre serait bientôt finie, qu'il y aurait sous peu une pénurie de logements et que les gens me regarderaient de travers en me voyant habiter seul cet endroit immense. Aussi, j'ai fini par ne louer qu'un étage – deux grandes pièces. Mes voisins trouvaient que c'était déjà très grand : "Qu'est-ce que tu vas faire de tout cet espace, Lu ?" Pour eux, il y avait assez de place pour loger cinq ou six personnes.

« C'était des voisins formidables. Le quartier était peuplé exclusivement d'ouvriers. Or à l'époque, quand vous apparteniez à la classe moyenne, les seules personnes du milieu ouvrier que vous rencontriez, c'était des gens occupant des fonctions subalternes, des domestiques ou des employés de magasin, ce genre de

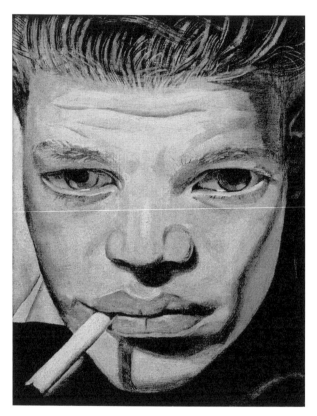

Boy Smoking, 1950–1951

choses. Pourtant aucun de mes voisins ne menait cette existence. Ils ne travaillaient que pour leur propre compte. »

Parmi ses amis d'alors figuraient les deux frères Lumley, dont LF fit la connaissance lorsqu'il les surprit en train d'essayer de cambrioler son atelier. Stephen Spender se souvient avoir rencontré en 1955 LF et Charlie Lumley, le modèle de *Boy Smoking* (1950–1951 ; p. 60), dans un restaurant chic. « Ils étaient tous deux vêtus comme des ouvriers, Charlie était presque en haillons, raconte Spender. Bien entendu, tout le monde dans le restaurant était assez choqué.

« Pas mal de mes amis et voisins étaient des criminels, poursuit LF, mais parmi eux il n'y avait qu'un seul cambrioleur de banque vraiment astucieux et florissant, avec sa bande d'amis. Ils me disaient : "On a tout ce qu'il nous faut – belle maison, jolies filles, plein de fric. La seule chose qu'on n'avait pas, c'était des amis honnêtes – mais à présent, nous t'avons toi."

« Un jour qu'ils avaient prévu de dévaliser une filiale de la Midland Bank, ils me prévinrent : "As-tu des fiancées ou des femmes que tu connais qui auraient quelque chose dans leurs coffres ? Parce qu'on ne veut rien prendre à des amies à toi. Tu devrais les avertir." En fait, j'en ai parlé à une ou deux personnes, mais ça n'a servi à rien. "As-tu déposé quelque chose dans un coffre de telle banque ? demandais-je — Non, mais pourquoi cette question ? — Oh, comme ça, pour rien", disais-je.

« Ou alors ils droguaient des chiens pendant les courses, une chose très facile à faire. Un jour ils voulaient droguer un certain chien, mais ils ne sont pas arrivés à pénétrer dans l'enclos où il était enfermé parce que les cadenas étaient trop vieux. Ils sont donc allés chez le propriétaire du chien qui tenait une boucherie et ont acheté une énorme quantité de viande, puis ils sont repartis en "oubliant" un sac contenant des cadenas tout neufs. Lorsqu'ils sont ensuite retournés à l'enclos, les cadenas neufs étaient installés et ils ont pu faire ce qu'ils étaient venus faire. J'ai trouvé que c'était réellement astucieux et imaginatif de leur part. »

A Man and His Daughter, 1963–1964

Ses observations du milieu dans lequel il s'était retrouvé ont naturellement donné lieu à plusieurs tableaux. Par exemple : « J'ai peint à deux reprises le très astucieux cambrioleur de banque, celui qui m'avait averti qu'il allait dévaliser telle banque tel jour. Il habitait au-dessous de chez moi à Clarendon Terrace. Plus tard il est devenu vendeur de voitures et, là aussi, il s'est extrêmement bien débrouillé. » Le visage de cet homme est couturé de cicatrices violacées qui contrastent avec son expression songeuse et la tendresse avec laquelle il tient sa petite fille contre lui (p. 62). « Je crois que c'est le mari ou le petit ami d'une fille avec qui il sortait qui lui a fait ça. Ils avaient un truc : ils enfonçaient une lame de rasoir dans une pomme de terre, et puis… [d'un geste LF fait mine de tracer une croix sur le visage de quelqu'un]. C'est arrivé à plusieurs petits amis infidèles de Ronnie Kray.

« Je suis resté dans cette maison pendant plusieurs années, puis j'ai déménagé dans une autre maison de la même rue, puis dans une troisième dans le voisinage. Elles ont fini par être achetées par le service des HLM qui n'arrêtait pas de me harceler en me disant que je n'étais pas une "unité" – une unité étant une famille avec enfants en bas âge, ou une personne retraitée. Ils m'ont donc installé dans des bâtiments voués à la démolition, ce qui me convenait très bien. Je me souviens que pendant une période, j'étais le dernier habitant d'une longue rue déserte, et les démolisseurs se rapprochaient chaque jour un peu plus. Je travaillais sur un tableau dans mon atelier. Finalement je leur ai refilé quelques bouteilles de whisky et ils m'ont accordé deux jours de plus. A l'époque, c'était important pour moi.

« Comme au XIXe siècle, les gens de la classe moyenne ne venaient jamais dans ce quartier, mais ma mère me laissait quand même des colis de nourriture devant la porte parce qu'elle se faisait du souci pour moi.

« Ça me rappelait beaucoup le Londres de Gustave Doré. Comme je n'avais pas le téléphone, je recevais souvent des télégrammes de gens qui m'invitaient à des soirées ou ce genre de choses. A chaque fois, mes voisins prenaient un air sinistre pour me dire : "Un télégramme, Lu ?", parce que pour eux, un télégramme était toujours synonyme de mauvaise nouvelle. »

…

Vers le milieu de la séance, mon œil gauche apparaît, et vers la fin, le droit également. Sinon, le reste de la toile ne comporte pratiquement que le dessin original au fusain, à l'exception de mon front, qui est un patchwork de coups de pinceau convergeant vers l'arête du nez. Pourtant, tout d'un coup, une personne vous regarde depuis la toile.

Le regard, qui, au fil de l'avancement du tableau, devient de plus en plus fixe et intense, est la partie la plus primitive et la plus forte d'un portrait. Les yeux sont source de présence et de puissance. Ce sont eux qui recèlent la force dans l'image d'un dieu ou d'un saint, comme dans les icônes de l'Eglise orthodoxe, par exemple. C'est la raison pour laquelle, si souvent, ceux qui ne veulent pas ressentir cette force grattent les yeux pour les effacer tout en laissant intact le reste de l'image.

De surcroît, les yeux, par leurs mouvements subtils, leur façon de croiser ou d'esquiver le regard d'autrui, ou encore par la dilatation des pupilles, comptent parmi les meilleurs indices dont nous disposons pour déceler les sentiments que nous éprouvons les uns envers les autres. Les pupilles se dilatent lorsque nous regardons quelque chose qui nous intéresse ou nous inquiète : ceux des hommes se dilatent lorsqu'on leur montre un requin ou une femme nue ; ceux des femmes à la vue d'un bébé ou d'un homme nu. Au travers de cillements ou d'autres mouvements subtils, les yeux peuvent exprimer tout un éventail d'émotions telles que la tristesse ou la joie, l'attention ou la distraction, le désir ou la haine, la confiance ou la méfiance, l'enthousiasme ou la lassitude, la fausseté ou la franchise, la colère ou l'indulgence. Dans ces conditions, il n'est guère surprenant que l'apparition des yeux – de mes yeux ? – sur la toile s'accompagne de l'impression que désormais nous sommes trois dans l'atelier.

Vers la fin de la séance, j'oriente prudemment la conversation vers la question de savoir ce que pense LF de la progression du tableau jusqu'à présent. Je me hasarde à lui dire que je suppose qu'il lui est difficile d'apprécier la réussite ou non du tableau à ce stade. Il s'avère que j'ai bien fait d'aborder ce sujet avec prudence.

LF explique que pour lui, chaque tableau est comme l'exploration d'un territoire inconnu. Il cite Pablo Picasso qui avait répondu « cette chose magnifiquement arrogante à une femme qui l'interrogeait sur un tableau en cours : "Interdiction de parler au conducteur" – c'est un avis qui était alors affiché dans les trams et les bus français. Je suppose que quelqu'un d'un autre tempérament pourrait dire : "Le conducteur ne sait pas où il va." Pour ma part, je ne peux considérer une question sur l'avancement d'un tableau que comme une remarque humoristique d'un genre particulièrement agaçant. »

...

Tel un merle à la recherche de miettes et de vermisseaux, LF est en quête permanente de modèles, autrement dit de gens susceptibles de représenter un matériau adéquat pour ses tableaux. Il lui est difficile d'énumérer les conditions requises. « Je choisis les sujets de mes tableaux de manière impulsive. Comme je ne suis pas très introspectif, il m'est difficile d'en expliquer la raison. » Parfois il peint des gens qu'il connaît bien, mais il connaît très bien certaines personnes depuis de nombreuses années sans s'être jamais décidé à les prendre comme modèles. Le fait pour un modèle d'avoir travaillé pour d'autres artistes est un énorme désavantage à ses yeux.

« Les modèles professionnels ne font généralement pas l'affaire, parce que je veux qu'ils s'exclament : "Oh mon Dieu, vous allez rester torse nu ?", plutôt que : "Vous voulez la pose A, B ou C ?" » Il existe une part de potentiel impossible à évaluer en chaque personne qu'il commence à peindre.

« Au début, elle posait très mal, raconte-t-il d'une femme qui fut le sujet d'une série de tableaux il y a une quinzaine d'années, ce dont je me moque parce que d'une certaine manière la dernière chose que j'ai envie de faire, c'est de peindre un modèle. Mais à un certain moment, j'ai senti que je ne pouvais tout simplement plus travailler avec elle. C'était comme si je l'avais totalement épuisée dans mon œuvre. Je la vois toujours et nous sommes restés en excellents termes. Là n'était pas la question. »

De temps à autre, une seule rencontre fortuite suffit à lui faire envisager que la personne pourrait faire un bon sujet. Pendant le repas qui suit la séance, LF me montre une serveuse. Elle est grande, un peu disgracieuse, mais a un air singulier. « Je me suis dit plusieurs fois qu'elle ferait un bon modèle pour un nu. L'idée m'est revenue à plusieurs reprises.

— Lui en avez-vous parlé ?

— Oh, non. »

Pour l'instant, son temps est totalement occupé par les chevaux, moi, la fille de l'après-midi, Andrew Parker Bowles et le nu aux cerises. Mais de toute évidence il garde à l'esprit la curieuse et intéressante serveuse comme sujet éventuel d'un futur tableau, même si elle ne se doute absolument pas des projets de LF. Ce qu'il voit exactement dans cette fille, lui-même sans doute aurait du mal à le formuler.

19 décembre 2003

LF est retourné peindre au haras et il a eu très froid. « J'aime beaucoup le petit côté héroïque qu'il y a à aller peindre là-bas presque en plein air, mais ça devient difficile. Je déteste me sentir aussi mal fichu. »

En raison de son intérêt actuel pour l'arrière-train des chevaux, je lui ai apporté une reproduction de *La Conversion de saint Paul* du Caravage (1600–1601 ; p. 67) – l'une des représentations

Le Caravage, *La Conversion de saint Paul*, 1600–1601

les plus remarquables d'un derrière chevalin dans l'histoire de l'art – qu'il n'avait jamais vue en couleurs et trouve « absolument merveilleuse ». Il aime tout particulièrement l'enchevêtrement de membres animaux et humains au centre du tableau. Ce cheval du XVIIᵉ siècle, précise-t-il, est très proche de ce qu'il fait du point de vue de l'angle et de la pose. Aujourd'hui, au haras, il a peint le flanc arrière droit de son modèle.

Le tableau jumeau du Caravage, *La Crucifixion de saint Pierre*, n'est pas aussi réussi à ses yeux. « En le regardant, vous vous dites : "Ceci est une composition", alors que ce n'est pas le cas avec l'autre. » LF n'aime pas l'art qui ressemble trop à de l'art, ni les tableaux trop soigneusement composés. La gaucherie que certains critiques reprochent parfois aux œuvres de LF est délibérée.

C'est grâce aux chevaux, me raconte-t-il, qu'il a fait la connaissance d'Andrew Parker Bowles, dont le portrait s'approche lentement de son achèvement dans une autre partie de l'atelier. Il y a une vingtaine d'années, LF avait souhaité peindre un cheval dans les écuries des Horse Guards. Parker Bowles était alors officier dans ce régiment (plus tard il prendra le commandement de la House Cavalry).

« Il y avait dans l'écurie un cheval qui avait un si mauvais tempérament qu'on ne m'autorisait même pas à m'en approcher. On le tenait plus ou moins enfermé derrière des barreaux. Je trouvais que c'était un peu exagéré mais on me disait qu'il serait imprudent ne serait-ce que de s'en approcher. Il avait arraché un testicule à un soldat d'un très habile et rapide mouvement de tête. On l'avait toutefois gardé car c'était une monture magnifique. Le mauvais tempérament chez un cheval, si vous lui prodiguez durablement de la gentillesse et un bon traitement, finit par ne plus devenir qu'une sorte de tic nerveux. »

J'eus l'impression que LF, de manière tout à fait caractéristique, regrettait de ne pas avoir été autorisé à dessiner cette bête dangereuse. Son amour des chevaux remonte loin dans son enfance. A la Dartington School dans les années 1930, il pénétrait dans les box des chevaux. « J'adorais ça et j'ai beaucoup monté à cette époque. » De cette période de sa vie il subsiste une linogravure d'un cheval échappé, datée de 1936, alors que LF avait treize ans, ainsi qu'une sculpture de l'année suivante – une véritable rareté dans son œuvre – représentant un cheval à trois pattes.

LF a une conception de l'existence selon laquelle l'humain et l'animal sont deux aspects de la même chose. « Quand je peins des gens habillés, je pense toujours beaucoup à des gens nus, ou à des animaux habillés. » Certains de ses tableaux les plus mémorables montrent des animaux en compagnie de personnages – généralement leur propriétaire : *Girl with a White Dog* (1950–1951) ; *Guy and Speck* (1980-1981). Dans *Double Portrait* (1985–1986 ; p. 70), pattes du lévrier et avant-bras du modèle, museau animal et nez féminin sont juxtaposés dans un enchevêtrement intime, dégageant un sentiment puissant d'existence partagée.

…

Au cours de la séance, LF porte à plusieurs reprises sa main à son front en un geste de concentration et de désarroi, et une fois sa main laisse sur sa peau un zigzag de peinture. Souvent, il tient sa propre tête d'une main pour saisir l'angle exact de l'inclinaison. Le voir jouer à être moi procure une sensation étrange. Je m'attache à garder l'esprit en éveil, retourne son regard à LF, sentant qu'ainsi je participe au tableau et contribuerai peut-être à y faire apparaître cet air alerte.

Dans la tension du travail, LF peut paraître parfois très agité. Il gesticule ; il lève les bras en un geste mi-triomphant, mi-désespéré, tel un chauffeur de taxi italien coincé dans un embouteillage inextricable. Il marmonne entre ses lèvres. Ses périodes de concentration s'annoncent généralement par un regard particulièrement dur, suivi d'un profond soupir. Il avance puis recule d'un pas, fait parfois un bond en avant puis s'éloigne à nouveau brusquement de la toile, abaissant un coin de sa bouche en une

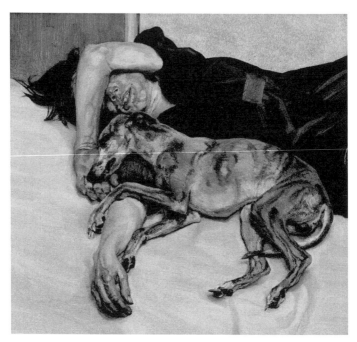

Double Portrait, 1985–1986

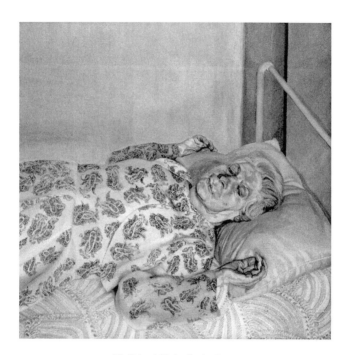

The Painter's Mother Resting, I, 1976

demi-grimace. Parfois il touche la toile du bout du pinceau comme une personne qui serait entrée en contact avec quelque chose de très chaud ou chargé d'électricité. La peinture continue de s'étendre sur la toile par minuscules progressions incrémentielles.

…

Pendant une pause, je lui demande quelles sont, de son point de vue, les difficultés rencontrées lors de l'exécution d'un tableau. Sa réponse est inattendue.

« Une chose à laquelle je ne me suis jamais habitué, c'est de ne pas me sentir d'humeur identique d'un jour à l'autre, même si je m'efforce de contrôler le plus possible cela en travaillant absolument tout le temps. Je me sens tellement différent d'un jour sur l'autre que je me demande comment un seul de mes tableaux peut même fonctionner.

« Alors que j'étais en train de peindre un tableau de ma mère il y a de cela des années, je me suis senti plus triste que jamais je ne l'avais été jusque-là, ni depuis. Je peignais les motifs de cachemire de sa robe et je me souviens m'être demandé si ma tristesse n'allait pas transparaître jusque dans la forme des motifs, et peut-être est-ce d'ailleurs le cas (p. 71). Mais cela ne fait que vous donner une idée de ma mégalomanie.

— Je suppose en effet que l'on est différent d'un jour à l'autre, dis-je. La composition chimique du sang varie et les cellules elles-mêmes doivent également changer.

— Et puis vous voyez des gens différents, renchérit-il. Vous pouvez vous réveiller dans un autre lit que le vôtre, peut-être avec une nouvelle personne. Toutes ces choses peuvent vous affecter. »

Le paradoxe du portrait, surtout de type marathonien, est que la cible est sans cesse en mouvement. Physiologiquement et psychologiquement, un être vivant est toujours dans un état fluctuant. L'humeur change, les niveaux d'énergie montent et descendent, l'organisme lui-même vieillit peu à peu. Depuis que les séances ont commencé, j'ai été faire de la randonnée dans le désert du Texas et j'en suis revenu légèrement bronzé et plein d'entrain.

A l'extérieur de l'atelier, les saisons s'écoulent lentement ; températures et luminosité changent. Bientôt ce sera Noël. Comme c'est le cas dans tout projet de création – il en va exactement de même pour l'écriture d'un livre, par exemple –, la réussite est en partie une affaire d'endurance, mais aussi de ce que LF aime appeller « le moral » : la confiance nécessaire pour simplement continuer. Bien entendu, dans le cas d'un tableau comme celui-ci, ces modifications sont multipliées du fait que deux personnes sont impliquées : le peintre et le sujet. Il s'avère que du point de vue de LF, c'est le fait que des changements d'humeur puissent affecter sa verve créatrice qui l'ennuie le plus.

Je lui demande quel est pour un peintre l'inconvénient d'être changeant. S'ensuit un long silence, puis un soupir de concentration comme lorsqu'il tente de tracer exactement le trait de pinceau voulu. Enfin : « Peut-être que lorsque vous avez le genre de tempérament qui vous pousse à être toujours à la recherche de failles et de problèmes [le tempérament de LF, en d'autres termes], cela peut vous empêcher de parvenir à ce que vous voulez en permanence, c'est-à-dire à être aussi audacieux que possible. On doit trouver le courage de toujours continuer à essayer.

— Comment ?

— Ne pas peindre de manière insipide ou prévisible. Mais je suppose que si l'on ne changeait pas de jour en jour, on ne pourrait être ce que l'on veut sans cesse être – *exceptionnellement* hardi. » Voilà un paradoxe de plus.

28 décembre 2003

Les séances marquent une légère pause pour Noël, à mon initiative et non à celle de LF, qui pour sa part travaille généralement durant ce genre de festivités et ne prend jamais de vacances. « Je n'ai pas envie d'avoir le moindre projet qui ne concerne pas le travail, ce serait trop déstabilisant. » Il a cependant assisté à une messe de Noël organisée par une nonne de sa connaissance. « Je me demande combien de Juifs athées il y a ici », lui a-t-il dit en se décrivant lui-même. « Allons, allons ! » lui a-t-elle à juste titre répondu. LF explique qu'il n'a pas le sentiment que sa judéité constitue une part importante de sa conscience de soi. C'est toutefois un sujet qui l'intrigue, notamment lorsqu'il est réfracté à travers le prisme d'un de ses modèles.

« Je n'ai pas souvent été confronté à l'antisémitisme, et autrefois je trouvais que c'était le sujet de conversation le plus ennuyeux qui fût. Mais lorsque Isaiah Berlin a posé pour moi, il en a parlé d'une telle façon que j'ai trouvé ça extrêmement intéressant. Il m'a raconté l'histoire de deux Juifs new-yorkais en train de bavarder, s'émerveillant de l'endroit formidable qu'était l'Amérique, de la sensation de liberté qu'on y avait, de son absence de préjugés, etc., etc. Et puis l'un des deux dit : "Mais j'ai toujours aussi peur des chiens." Le sens de cette histoire, c'est que comme me l'avait expliqué mon père, il était très fréquent en Europe autrefois de lâcher les chiens contre les Juifs. »

Le tableau a énormément progressé et la peinture recouvre peu à peu le bas de la toile. Il semble, si j'en crois les marmonnements de LF – comme lorsqu'il a lâché avec exultation : « Oui, je crois que c'est ça, c'est exactement ça ! Parfait ! » – que les choses se déroulent bien ce soir.

Je m'enquiers de savoir si c'est le moment où le nez va faire son apparition. Pas tout à fait, m'informe-t-il. « Je veux qu'il pousse de manière organique, aussi je ne veux pas placer le nez sans avoir au préalable peint la partie juste au-dessus et les deux zones de part et d'autre. »

A la fin de la séance arrive ma femme Josephine. Elle examine les deux yeux et les sourcils correspondants que l'on distingue à présent sur la toile, et déclare qu'elle les reconnaîtrait n'importe où. Mes sourcils sont, en effet, particuliers. C'est la caractéristique sur laquelle, si j'étais un homme politique, les caricaturistes se concentreraient. Les sourcils sont utiles pour souligner les expressions. Charles Darwin remarquait qu'ils sont essentiels dans l'expression faciale de l'admiration. Les sourcils se haussent, la bouche sourit, « les yeux deviennent brillants au lieu de rester sans expression comme lorsqu'on est seulement étonné ».

Mes sourcils sont épais, noirs et se rejoignent presque au-dessus du nez, où se dresse une touffe de poils. On ne peut à ce stade que supputer ce qu'ils indiquent exactement dans le tableau. Selon tout probabilité, LF lui-même ne l'a pas encore décidé : mais ce sont sans l'ombre d'un doute les miens.

Après cette découverte très privée du tableau à peine commencé, LF débouche une bouteille de champagne et nous nous installons dans son petit salon au-dessus de l'atelier avant d'aller dîner au Wolseley – où nous choisissons tous les trois la même chose : caviar et *Irish stew*, le premier sur la suggestion de LF, « Très bon, je vous le recommande. » Le mariage est en effet étonnamment réussi.

LF prend très au sérieux l'alimentation et cuisine un peu lui-même, en se fondant principalement sur les livres d'Elizabeth David. A mon arrivée un soir, un fumet de cèpes à la bordelaise embaumait sa maison. Il connaît Elizabeth David – et, ce qui est assez étonnant, la mère de celle-ci – et admire sa manière d'être. « Elle est d'une méticulosité extraordinaire et semble imprégnée du sentiment qu'au bout du compte, on mange pour vivre. J'apprécie aussi le fait qu'elle souligne bien que ses plats, préparés en Angleterre, ne sont pas des recettes françaises, mais une cuisine à la française. C'est exactement ça. »

Ces deux points – ce que vous faites, vous le faites pour vivre et vous devez le faire méticuleusement – s'appliquent, aux yeux de LF, à de nombreux domaines et tout particulièrement, bien enten-du, à la peinture. La méticulosité est un trait auquel il accorde la plus grande importance. « C'est une qualité si merveilleuse, vous ne trouvez pas ? Je ne parle pas bien sûr du juge qui statue minutieusement à votre encontre, mais de ce qui vous pousse à être raisonnable au point où cela se transforme en imagination. Je trouve cela magnifique. »

Les goûts de LF en matière culinaire sont très proches de ceux d'Elizabeth David : une préférence pour les ingrédients frais, et uniquement des préparations simples mais qui visent juste. C'est une façon de se nourrir que l'on a oubliée en Angleterre quelque part entre les guerres napoléoniennes et la Grande Dépression.

« Lorsque j'ai été en France pour la première fois en 1946, la nourriture a été pour moi une révélation : des choses toutes simples dans un petit restaurant, comme une salade de tomates fraîches assaisonnées d'huile d'olive. A cette époque à Londres – au Café Royal par exemple – on vous servait des plats élaborés tels que des rôtis accompagnés chacun de la sauce adéquate. Bien sûr, je mangeais ce genre de choses, vu que j'avais bon appétit et que j'étais un habitué de la nourriture de cantine, mais en y repensant, je me dis que ça ne devait pas être si bon que ça. »

Je lui fais la remarque que les Anglais n'aimaient pas la bonne nourriture à cette époque (et, pourrait-on ajouter, c'est encore bien souvent le cas).

« Quand je suis revenu de Grèce en bateau en 1947, je me suis lié à un groupe de "marins en détresse", comme on les appelait alors, c'est-à-dire des matelots qui s'étaient retrouvés coincés dans un port, sans argent ni papiers suite à divers revers dans leur existence. Ils voyageaient en troisième classe, ce qui était plus ou moins mon cas aussi, et ils se plaignaient très fréquemment de la nourriture, qui avait en effet de quoi vous dégoûter. Les œufs, par exemple, semblaient avoir été cuits dans de la vieille huile capillaire, ce genre de chose. Alors je leur ai dit que quand nous arriverions à Marseille, une ville que je connaissais un peu, je les emmènerais manger de bons petits plats : de bons œufs, frits au beurre, etc., ce que les Français appellent la cuisine au beurre.

« Eh bien, c'est ce que nous avons fait, mais je me suis aperçu qu'ils n'appréciaient pas vraiment. L'un d'entre eux a fini par me dire [LF prend alors l'accent cockney] : "Ce qu'il y a, Lu, c'est qu'on n'aime pas la nourriture tout plein de goûts comme celle-ci." Je pense que cette réaction résume bien la bonne vieille attitude britannique envers la cuisine. »

LF, lui, aime que les choses aient beaucoup de saveur, ou – plus précisément – qu'elles aient leur propre goût authentique. Il n'aime pas, par exemple, les perdrix d'élevage parce que leur manque de goût les fait ressembler à du poulet. « L'une des raisons pour lesquelles je mange du gibier, c'est que j'en apprécie le goût sauvage. »

Mais les préférences en matière de nourriture, comme en art ou en tout, sont le résultat mystérieux du tempérament, de l'émotion et de l'humeur de chacun.

« En définitive, on ne peut pas expliquer pourquoi on préfère telle ou telle nourriture, tout comme il est impossible de dire pourquoi on aime telle ou telle personne, parce qu'il est parfaitement possible d'imaginer une autre personne se comportant de la même façon et faisant les mêmes choses, mais qui ne nous plaira pas.

« Par exemple, j'aime les épinards servis sans huile ni beurre. Et pourtant, je peux facilement imaginer que si une femme dont j'étais amoureux me faisait des épinards à l'huile, je les aimerais ainsi. Je goûterais aussi le léger héroïsme dont je ferais preuve en les appréciant alors que d'habitude je ne les aime pas préparés de cette façon. »

2 janvier 2004

C'est une froide journée du début de la nouvelle année. LF s'est à nouveau gelé jusqu'aux os en peignant les chevaux au haras. Ce qu'il disait sur le fait de se sentir différent d'un jour à l'autre se vérifie dans son apparence : j'en viens à remarquer qu'il semble changer d'une séance à la suivante. Aujourd'hui, par exemple, il a l'air farouche d'un aigle. Parfois il paraît beaucoup plus âgé que la veille, d'autres fois beaucoup plus vigoureux – même la texture de ses cheveux semble varier.

Self Portrait, Reflection (travail en cours), 2004

Je lui en fais la remarque. « Eh bien, ça ne me surprend pas, répond-il. Et si on a l'air différent, alors je pense qu'on est de fait différent, parce que l'apparence que l'on a, c'est ce qu'on *est*, non ? » Si cela est exact, c'est sans doute une bonne base pour l'art du portrait. Je suis actuellement en train de faire des recherches pour un livre sur Van Gogh et je lance dans la conversation l'idée qu'il exprime dans une lettre de 1888 à sa plus jeune sœur : « Tout d'abord je dirais que, de mon point de vue, la même personne peut fournir le matériau de portraits très divers. »

En fait, maintenant que j'y pense, les autoportraits de LF sont très différents les uns des autres, même si de temps en temps, sous un certain angle ou à un moment précis, il ressemblera brusquement à l'un ou à l'autre (p. 78). La différence que l'on constate dans ses portraits de lui-même tient-elle au fait que l'on paraît être une personne différente chaque jour ? « En partie, oui, mais cela tient également au refus d'avoir une technique immédiatement reconnaissable. »

En d'autres termes, il ne veut pas « faire du Lucian Freud ». Il raconte alors une anecdote sur Henry Moore. « J'ai été le voir un jour dans son atelier de Much Hadham et il était en train de faire toute une série de dessins, qui étaient étalés partout dans la pièce. Il ajoutait une touche à celui-ci, une touche à celui-là. Ce n'est pas nécessairement pour cette raison qu'ils étaient mauvais, mais de fait ils étaient mauvais. Je détesterais produire de l'art de cette manière. »

L'objectif de LF est de faire que chaque tableau ressemble le moins possible aux autres, comme s'ils avaient été peints par des artistes différents. En réalité, bien entendu, son travail est immédiatement reconnaissable et il serait difficile de le confondre avec celui de quiconque. Mais il est vrai que l'on y constate des variations constantes et délibérées d'échelle, de traitement et d'angle de vue.

Dans ses autoportraits il cherche perpétuellement à enregistrer, et même à saisir avec délectation les signes du vieillissement

Jean-Siméon Chardin, *Autoportrait*, 1771

et du passage du temps. Bien sûr, nous savons que Rembrandt faisait la même chose – ne dissimulant rien de son nez de buveur et de ses joues flasques. De ce point de vue, l'attitude qu'adopte LF vis-à-vis de ses modèles est la même que celle qu'il observe envers lui-même : celle d'un examen sympathique mais lucide. Du point de vue de LF, cette absence d'indulgence vis-à-vis de lui-même participe du fait d'être un bon artiste.

« Chez les mauvais peintres, tous les tableaux ressemblent à des autoportraits, à l'exception des autoportraits, du fait que le peintre se porte une considération excessive. A l'inverse, l'autoportrait au pastel de Chardin (p. 80) – que je trouve magnifique – semble être le portrait de quelqu'un qu'il vient de rencontrer par hasard. »

…

LF se plaint d'être fatigué. Je lui dis qu'il exige beaucoup de lui-même. « Mais au fond, bien entendu, ce n'est que de la complaisance envers soi-même, réplique-t-il. Je fais ce qui m'amuse, m'intéresse et me distrait le plus. »

Puis, de manière inopinée, il se met à parler de son attitude à l'égard de son propre travail. De toute évidence, pour lui, l'excitation est tout entière dans l'exécution même du tableau. « Je pense que la moitié de l'intérêt de peindre un tableau tient au fait que vous ne savez jamais ce qui va se produire. Peut-être que si les peintres savaient à l'avance à quoi ressemblera le tableau achevé, ils ne prendraient même pas la peine de le peindre. La peinture ressemble un peu à ces recettes où vous devez faire des tas de choses compliquées à un canard, pour finir par n'en utiliser que la peau.

« Quand un tableau est fini, il m'arrive souvent de le regarder et de me demander si tous ces efforts en valaient vraiment la peine. C'est pourquoi, par exemple, je n'ai pas été troublé un seul instant quand le directeur de la Tate m'a téléphoné pour me dire que mon portrait de Francis Bacon avait été volé. En général, je n'aime pas revoir mes tableaux une fois qu'ils sont terminés, même s'il m'arrive parfois d'aller chez des gens qui en ont acheté un. Je ne peux pas leur reprocher de l'avoir accroché dans leur salon. »

Je pense que ce revirement d'attitude est fréquent. Les écrivains l'éprouvent sans aucun doute. Je sais pour ma part que j'ai du mal à relire ce que j'ai écrit une fois que c'est imprimé. Je n'ai envie de penser qu'à mon prochain article ou à mon prochain livre. Les musiciens de jazz m'ont expliqué qu'ils détestaient écouter un enregistrement aussitôt après la prise, car, à ce moment-là, ils ne perçoivent que les erreurs. Quelques années après, ils peuvent les trouver bons. De la même façon, lorsqu'une vente aux enchères propose un ancien tableau de lui, LF s'y rend pour y jeter un coup d'œil, et il lui arrive parfois d'éprouver une surprise agréable. En revanche, il y a certains tableaux qu'il préférerait, semble-t-il, voir sombrer dans l'oubli. Le point essentiel, en tout cas, est de tenter de faire mieux la fois suivante.

« Quand on essaie d'accomplir quelque chose d'immensément difficile, je crois que le plus grand danger serait de se satisfaire de son travail au seul motif que c'est son propre travail. On veut que chaque tableau soit meilleur que les précédents ; sinon, à quoi bon ? Et pourtant je reconnais qu'il y a une minuscule part de mon esprit – et je pense que c'est la même chose pour tout le monde – qui croit que ce que je fais est peut-être meilleur que ce qui a jamais été fait par quiconque. »

Cette autocritique rigoureuse pimentée d'une pincée d'ambition mégalomane participe de l'état d'esprit nécessaire à un artiste tel que LF. Cela l'incite à poursuivre son travail, heure après heure, jour après jour, à l'âge de quatre-vingt-un ans.

6 janvier 2004

J e commence à ressentir une légère appréhension quant à l'apparence finale de ce tableau. Paraîtrai-je laid ? Aurai-je l'air vieux ? Faire face aux réalités de l'existence, comme le vieillissement et la perspective de la mort, est précisément au cœur du genre de peinture pratiquée par LF – bien entendu, nous l'applaudissons chez Rembrandt, mais je ne sais plus trop que penser de cette méthode lorsqu'elle s'applique à moi-même. La vanité du modèle est un élément imprévisible dans l'histoire du portrait, et souvent – en fait, presque toujours – c'est une donnée d'importance lorsque le modèle paie pour la réalisation de son portrait. Mais en même temps elle peut biaiser le jeu, avec pour résultat des images fausses et malhonnêtes, ou en tout cas constituer un obstacle que le peintre doit surmonter.

Est-il important que le tableau ressemble au modèle ? « D'une certaine manière, répond LF, la ressemblance n'a guère d'importance, car le fait qu'un tableau soit ressemblant ou pas n'a rien à voir avec sa qualité en tant que tableau. Par exemple, les personnages de Rembrandt se ressemblent tous en ce qu'ils possèdent tous une grandeur spirituelle. On sent qu'il n'a pas chercher à reproduire l'apparence réelle de ses modèles. »

Pourtant la question semble incontestablement intéresser LF. Il remarque souvent que tel tableau est « ressemblant » ou « très ressemblant ». Après tout, même si le but est de peindre le meilleur tableau possible, sa matière première est constituée de l'individualité particulière de l'apparence de telle personne, de tel animal ou objet – et, en l'occurrence, de mon apparence à moi.

Alors que LF était en train de peindre son *Self Portrait, Reflection* (p. 84) en 2002, sa femme de ménage jeta un jour un coup d'œil par la porte de l'atelier, vit le tableau sur un chevalet dans la pénombre et lui dit : « J'ai cru que c'était vous. » La phrase l'amusa et lui fit grand plaisir. Cette histoire fait penser à certaines anecdotes de Pline comme celles des tourterelles tentant de picorer le grain représenté sur une nature morte ou du rideau peint avec un tel réalisme qu'un distrait essaie de le tirer. Un des objectifs anciens de l'art figuratif est de convaincre, voire de tromper le spectateur.

…

Self Portrait, Reflection, 2002

Cet après-midi LF passe un long moment à mélanger du bleu argenté avec une touche de jaune pour – comme je l'avais deviné – peindre les cheveux à présent grisonnants de mes tempes. Lorsque j'ai commencé à poser pour ce tableau, quelqu'un m'a dit : « Vous êtes courageux ! » Pourtant jusqu'à présent, je n'avais eu aucune appréhension quant au résultat final.

La surface peinte s'étend désormais presque de l'arête de mon nez jusqu'à la naissance des cheveux sur le front. L'image prend forme peu à peu et, jusqu'à maintenant, me ressemble beaucoup. LF déclare qu'il est rare qu'il suive aussi fidèlement son dessin de départ. En revanche, ma tête a entrepris une rotation vers la droite : mon nez dessiné pointe d'un côté, mon nez peint de l'autre.

…

Ce soir nous allons manger à la Locanda Locatelli, un restaurant italien proche de Marble Arch. Pendant le repas, ayant engagé la conversation sur le thème de la ponctuation, nous en arrivons à parler de Lord Byron. Je déclare que son emploi constant du tiret, quoique singulier, me plaît. LF en convient : « C'est d'une géné- rosité très caractéristique de Byron : il laisse le lecteur faire sa propre interprétation. » Il adore le *Don Juan* de Byron : « C'est un long catalogue de commérages avec des jeux de mots et un humour formidables. » Il aime aussi beaucoup le *Dom Juan* de Molière, que l'auteur présente comme un véritable psychopathe et qu'il trouve merveilleusement amusant, même si ce n'est pas l'idée que l'on se fait habituellement de ce grand amoureux. « Je me demande, dit-il d'un air songeur, si mon grand-père l'a lu. »

Sa remarque m'intrigue. LF ne mentionne que rarement Sigmund Freud, mais lorsque c'est le cas, il le fait toujours de manière affectueuse. « Mon grand-père, qui est mort aux alen- tours de mes seize ans, avait toujours l'air de bonne humeur. Dans la vie il était comme beaucoup de ces gens vraiment intelligents qui n'ont nul besoin de se prendre au sérieux ni de se comporter de manière solennelle car ils sont absolument sûrs de ce dont ils parlent. »

Grand amateur d'humour lui aussi, LF connaît un certain nombre de chansons humoristiques et de poèmes comiques. Son appétit pour les anecdotes concernant les bizarreries et faiblesses des gens, ainsi que pour les traits d'esprit, est énorme. « Oscar Wilde possédait un trait qui est toujours très séduisant chez n'importe qui, remarque-t-il, à savoir l'auto-complaisance poussée à l'extrême. L'humour de Wilde est dépourvu de toute méchanceté, alors que celui de Whistler, au contraire, est parfaitement malveillant. L'humour qui n'est pas méchant est toujours beaucoup plus drôle parce qu'il peut être espiègle et fantastique. »

Pour en revenir à la peinture, je lui raconte qu'il y a quelques années je suis allé à Lille voir une exposition de peintures de Goya – une exposition formidable, avec une excellente sélection d'œuvres. L'un des tableaux m'a fait une grosse impression : on y voit un homme examinant l'intérieur de la gorge d'un jeune garçon (p. 87). Le sujet, a-t-on découvert, est tiré d'une scène d'un roman picaresque espagnol du XVIe siècle, *El Lazarillo de Tormes*. Le narrateur en est Lazarillo, qui devient le serviteur d'un escroc aveugle. Un jour, alors qu'il est en train de faire griller une saucisse pour le souper de son maître, il éprouve brusquement une telle fringale qu'il avale avec voracité la saucisse et, pour dissimuler son acte, sert à l'aveugle un navet glissé entre deux tranches de pain. Mais son maître n'est pas dupe. Grâce à son odorat perçant, l'escroc escroqué repère l'odeur de la saucisse disparue, ouvre grand la bouche du garçon, y fourre son long nez pointu, décèle le fumet de son souper et tente de le récupérer en enfonçant ses doigts dans la gorge de Lazarillo – avec pour résultat malheureux que le pauvre garçon s'étouffe et rend littéralement à son propriétaire son dîner mi-mâché, mi-digéré. Le tableau montre le moment qui précède tout juste cet épisode, le garçon la bouche grand ouverte, l'aveugle lui fourrant les doigts dans la gorge pour essayer de récupérer sa saucisse.

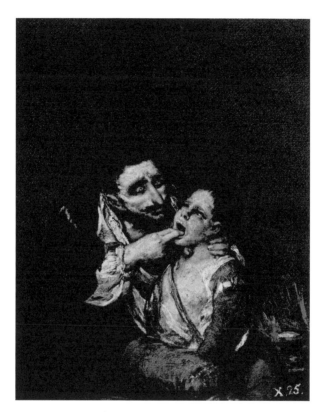

Francisco de Goya, *El Lazarillo de Tormes*, 1808–1812

Je suggère que cet étrange et magnifique tableau fournit certaines indications sur le sens de l'humour – sardonique et très noir – de Goya et sur la manière dont il a pu concevoir nombre de ses peintures. Il s'avère que LF a vu ce même tableau de nombreuses années auparavant.

« Alors que nous étions à Madrid au début des années 1950, Caroline [la deuxième femme de LF, Caroline Blackwood] est tombée malade et le correspondant madrilène d'un magazine britannique m'a recommandé un médecin. Celui-ci ressemblait un peu à mon grand-père, vous savez, c'était un Herr Doktor Professor… Il vivait sur un certain pied. Dans son appartement il y avait justement ce Goya, qui s'intitulait à l'époque *Opération des amygdales*, mais qui était très certainement celui que vous avez vu. Il était à la fois atroce et drôle. Je ne l'ai jamais oublié.

« Goya est l'un des peintres les plus mystérieux qui soient. Pour moi, ses gravures et dessins sont infiniment plus intéressants que ses peintures. Mais, comme si souvent chez les grands artistes, toute son œuvre est emplie d'une sorte d'esprit blagueur. On trouve la même chose chez Ingres, chez Courbet, chez tous les grands peintres. Leur œuvre regorge de plaisanteries. »

Y a-t-il de l'humour dans l'œuvre de LF ? On relève sans conteste beaucoup d'espièglerie dans ses dessins de jeunesse, comme *Galloping Horses* (1940) par exemple. *The Painter's Room* (1943–1944 ; p. 89), avec son énorme tête de zèbre surgissant de la fenêtre, se situe à mi-chemin entre surréalisme et humour. Et dans l'œuvre postérieure ? Je pense qu'on y trouve parfois une certaine drôlerie, même si elle est plus profondément enfouie. Le contraste et la comparaison entre la femme torse nu et son compagnon canin dans *Girl with a White Dog* (1950–1951) sont tout à la fois troublants, tendres, érotiques. Mais le tableau est aussi assez drôle.

The Painter's Room, 1943–1944

16 janvier 2004

LF a continué de peindre l'arrière-train et le dos du cheval. « Ça devient vraiment incroyable », remarque-t-il. Avant la séance, nous parlons un long moment du séjour que LF a effectué à Paris dans sa jeunesse, à l'exact opposé de l'existence populaire qu'il mènera à Paddington : une image d'Epinal de la vie dans la haute société. De toute évidence, LF a trouvé l'expérience d'une fascinante étrangeté.

« Lors de mon premier séjour en France, je me faisais adresser mon courrier chez de vieux amis de mon grand-père, la princesse Marie et le prince George de Grèce. J'allais manger chez eux une fois par semaine ; je n'avais jamais pris de repas dans des conditions aussi somptueuses. A l'époque, beaucoup de gens avaient des serviteurs, mais là, les gens qui nous servaient à table portaient des gants blancs, ce genre de chose. Des tas de mauvais portraits étaient suspendus aux murs de la salle à manger. Il y avait ceux du prince sur un mur et ceux de la princesse sur un autre. Je leur demandai la raison de cet agencement.

« "Nous aimons contempler nos ancêtres pendant que nous mangeons", m'expliqua le prince. [LF a un geste de stupéfaction.]

« Un jour, je ne sais plus pourquoi, j'explorai leur cave et, à côté des bouteilles de vin, il y avait des tas de tableaux posés contre les murs. Je vis que l'un d'eux était un Goya. Ils avaient des choses merveilleuses, mais pour eux, c'était juste des trucs à mettre au mur. Ils avaient une autre maison à Saint-Cloud, qui, selon la princesse, était "beaucoup plus classique".

« La nourriture était absolument délicieuse. Très souvent, le repas n'était composé que de légumes, mais cuisinés à la perfection. Je n'avais jamais mangé ainsi jusqu'alors. Mais mes hôtes étaient totalement déconnectés de la vie ordinaire. La princesse pouvait par exemple dire : "Nous avons quelque chose de très spécial aujourd'hui, et tout à fait de saison", et en fait c'était de simples cerises. Comme j'allais chaque jour aux Halles, les anciennes, bien entendu, je savais qu'on y trouvait des étals grands comme cette pièce garnis de gros tas de cerises.

« La princesse semblait totalement détachée de ce monde. Un jour que je m'étais retrouvé à court d'argent, je lui demandai si je pouvais lui en emprunter. "Bien sûr, répondit-elle. De combien avez-vous besoin ? Voulez-vous 10 francs ? 100 ? 1000 ? 10 000 ?", comme s'il s'agissait d'un produit ordinaire tel que du sucre et qu'elle se demandait quelle quantité il me fallait. »

L'expérience du monde que possède LF est d'une ampleur proprement proustienne, tout comme la diversité des modèles auxquels il fait appel. Il a peint des aristocrates – le duc et la duchesse de Devonshire, le baron Thyssen, Jacob Rothschild – mais aussi des cambrioleurs, des ivrognes de Soho, des artistes, des écrivains, un jockey, plusieurs bookmakers, en fait tout une galerie d'individus qu'il a trouvé, pour une raison ou pour une autre, inté-ressants. La catégorie de gens qui ne semblent pas éveiller son intérêt sont ceux qui jouent un rôle – qui ne sont pas eux-mêmes – et ceux dont la personnalité est dépourvue d'intensité : les gens quelconques.

...

Une certaine palette de couleurs caractérise l'œuvre de LF – grège, gris, blanc, beige, jaune clair, crème, brun et noir. Il les a qualifiées un jour de « couleurs de la vie », et une de leurs carac-téristiques est de ne pas focaliser l'attention. Il en va de même pour sa maison et ses vêtements. LF s'habille pour l'essentiel dans cet éventail de gris et de crèmes. Rien ne détonne. Certains peintres, au contraire, affectionnent les couleurs flamboyantes dans leur œuvre comme dans leur existence. Ce genre de choses, estime LF, relève du tempérament de chacun : « En définitive, rien ne va avec rien. C'est votre goût personnel qui combine les choses. »

Ses goûts à lui sont marqués et très personnels. Quand les ouvriers ont ôté les couches successives de tapisserie et décapé les anciennes peintures des murs de son atelier, il leur a dit d'arrêter lorsqu'ils sont arrivés aux enduits originaux de l'époque géorgienne. Ce choix me rappelle son goût des gens sans apprêt – et souvent sans vêtements. Un jour qu'il venait de faire la connaissance d'une femme, il se plaignit de son maquillage excessif : « J'avais l'impression de ne pas voir à qui je parlais. »

Cependant, si l'on examine attentivement ses peintures, on s'aperçoit vite qu'elles sont plus abondamment marbrées et veinées de teintes diversifiées qu'il n'y paraît au premier abord. Quand je pose, je me demande souvent à quoi est destinée telle ou telle couleur. Ce soir, LF élabore soigneusement un certain gris-vert tout en examinant longuement mes traits. Et puis, très vite, il étale la peinture. Qu'a-t-il dessiné avec ? Mes pattes ? L'ombre sous mes pommettes ? Quand LF me dit que je peux me lever et me détendre quelques instants, je constate qu'il a tracé ma lèvre supérieure qui se déploie tel un papillon sur un fond de toile vierge au-dessous du nez. « Vous m'avez fait une moustache. — Oui, réplique-t-il avec satisfaction, ce vert est superbe. » Aujourd'hui, le bout de mon nez a également fait son apparition.

…

Le visage, que LF et beaucoup d'autres ont passé tant de temps à observer et à transformer en marques sur la toile ou le papier, pourrait sembler un sujet plutôt limité. Tout le monde, après tout, sauf accident, vient au monde avec deux yeux, un nez, une bouche, un menton et le reste. Et pourtant, dans sa topographie, rien n'est plus varié qu'un visage.

Dans le livre que je suis en train de lire – *The Face* (1999) de Daniel McNeill –, j'apprends qu'à la fin des années 1980, Alexander Pentland, chercheur au Media Lab du Massachusetts Institute of Technology, a travaillé sur un projet d'identification et d'analyse par ordinateur du visage humain. Pentland isola cent parties différentes du visage qu'il baptisa *eigenfaces*, terme composé à partir du mot allemand *eigen* qui signifie « individuel ». Certaines de ces zones territoriales du visage sont plus évidentes que d'autres. La lèvre supérieure, comme la mienne aujourd'hui provisoirement esquissée sur la toile, constitue l'une de ces cent *eigenfaces* ; d'autres concernent différentes parties de la joue et de la mâchoire. D'après les recherches de Pentland, chacune de ces cent pièces de la mosaïque faciale peut se décliner à son tour de cent manières différentes.

Ainsi le total des variations possibles du visage humain atteint, en termes mathématiques, le chiffre de 100 à la puissance 200. Il s'agit, d'après McNeill, d'un nombre considérablement plus grand — ce qui veut dire qu'il se termine par de nombreux zéros de plus — que le nombre de particules subatomiques dans l'univers. C'est là, comme le dit McNeill, « un chiffre surnaturel, bien au-delà de la capacité de l'esprit humain à saisir l'infini ».

Par ailleurs, le visage est un terrain auquel les êtres humains consacrent une attention stupéfiante. Certaines zones du cerveau sont spécifiquement dédiées à la reconnaissance des visages et au décodage de leurs expressions.

Ce sont là les faits physiologiques et psychologiques qui sous-tendent l'art du portrait. Ils expliquent en partie pourquoi, en tant que genre artistique, il suscite un intérêt aussi pérenne.

C'est la raison pour laquelle nous regardons avec fascination les visages de personnes que nous ne connaissons pas, décédées depuis des centaines d'années, qui ne sont bien souvent pour nous que des noms. Même un nom n'est pas nécessaire ; nous nous contentons parfaitement d'un *Portrait d'homme* ou d'une *Tête de femme*, titres que portent en effet de nombreux tableaux de LF.

…

LF doit assister ce soir au trentième anniversaire de Kate Moss qui sera fêté au domicile du marchand d'art Jay Jopling près de Portland Place. Moss est une amie de LF, pour qui elle a posé nue lorsqu'elle était enceinte. Nous retrouvons à la Locanda Locatelli la fille de LF, Bella, et son mari, qui sont également invités. LF et moi mangeons des langoustines.

23 janvier 2004

LF a l'air en forme et vigoureux. Il n'a pas été peindre au haras, mais s'y est rendu pour observer un autre cheval, une jument qu'il envisage de prendre comme modèle. Cependant, en la revoyant, il a trouvé qu'elle n'avait finalement aucun intérêt. « C'était un peu comme lorsqu'on est impatient de rencontrer quelqu'un, et puis quand vous y êtes, vous vous demandez pourquoi vous aviez tellement envie de voir cette personne. La première fois que je l'ai vue, elle avait une sorte de regard amusé. Mais aujourd'hui, je n'ai pas retrouvé cette expression. Ça va peut-être vous paraître méchant, mais je me suis surpris à me demander pourquoi son corps continuait à vivre, il n'a aucun muscle, aucune forme, rien. »

Il pense qu'il va refaire un tableau de la jument pie. En attendant, il a demandé à la serveuse qu'il avait remarquée si elle serait prête à poser. Elle a immédiatement accepté et commencera la semaine prochaine.

...

L'anniversaire de Kate Moss semble s'être prolongé jusqu'à onze heures le lendemain matin. « Mais je ne suis pas resté longtemps. J'ai dansé comme un fou pendant vingt minutes. » LF a un corps naturellement vif et leste. C'est un homme petit et nerveux, débordant d'agilité, ce qui explique sans doute pourquoi, à quatre-vingts ans passés, il est toujours capable de rester debout plusieurs heures d'affilée devant son chevalet, s'agitant sans cesse d'avant en arrière. Comme l'équitation, la danse est l'un de ses grands plaisirs.

Je déclare à LF que j'ai rencontré récemment Damien Hirst, qui figure parmi les artistes que je dois interviewer pour une série à paraître dans le supplément magazine du *Daily Telegraph*. Hirst m'a dit qu'il était tombé sur LF à l'anniversaire de Kate Moss et que LF lui avait un jour demandé de poser pour lui. Je trouve que ce serait une bonne idée : c'est un tableau que j'aimerais beaucoup voir, et qui viendrait compléter la galerie de portraits d'artistes peints par LF, laquelle comprend déjà Bacon, Frank Auerbach, John Minton et Michael Andrews.

Hirst rumine toujours une remarque qu'avait faite LF à propos de *A Thousand Years* (une œuvre de 1990 qui avait également impressionné Francis Bacon). Elle consiste en une sorte d'aquarium contenant une tête de bœuf en décomposition sur laquelle des mouches croissent, s'accouplent et pondent leurs œufs, et un Insect-O-Cutor, une de ces lampes bleues destinées à tuer les mouches que l'on voit chez les bouchers. Il s'agit d'une métaphore concise et sinistre du cycle de la vie, y compris de l'existence humaine, d'où son titre.

Quand LF la découvrit pour la première fois, il dit à Hirst qu'il avait commencé par le dernier acte. « Oui, c'est vrai, j'ai dit ça en pensant aux opéras. » Damien réfléchit beaucoup à la peinture en ce moment, et m'a confié ses réflexions sur la pérennité de ce médium. « Je me suis dit qu'une couche de peinture sur la surface d'une toile est exactement la même chose qu'un objet dans une pièce. Vous savez, ce qu'il y a de délicieux dans la peinture, ce qui vous fait aimer le tableau, c'est quelque chose de physique, c'est la superposition des couches. Vous avez envie de le manger, comme s'il s'agissait d'une glace ou de quelque chose de ce genre. »

Je répète à LF une observation curieuse qu'a faite Hirst au sujet de ses tableaux : « Ce que j'aime chez Freud, c'est ce jeu entre représentation et abstraction. Vue de loin, son œuvre paraît tout à fait photographique, mais quand vous vous rapprochez, cela rappelle les premiers De Kooning. Il est facile de reconnaître de la grande peinture au fait que lorsqu'on s'en approche, on voit toutes ces marques nerveuses. »

LF est content. « Oh, ça me plaît ! C'est comme les gens de Paddington qui me disaient : "Lu, ton travail est drôle. Quand on le regarde de loin, on voit bien de quoi il s'agit, mais de près, on n'y comprend plus rien." »

Il poursuit sur la question du travail au pinceau : « D'une certaine façon, je travaille de la manière qui est la mienne parce que ça m'empêche de voir ce que je suis en train de faire. J'ai décidé il y a très longtemps de ne pas porter de lunettes quand je peins, même si j'en mets pour faire des gravures parce qu'il s'agit d'un travail très minutieux. Ce n'est qu'en prenant du recul que je découvre ce que je viens de peindre, et donc c'est comme si je visais une cible quand j'entreprends d'étaler la peinture. Je suis sûr que porter des lunettes modifierait ma façon de peindre. Par ailleurs, je n'utilise guère l'œil gauche ; je souffre de ce qu'on appelle un "œil paresseux", un trouble qui a été détecté trop tard pour être corrigé. Je vois donc surtout de l'œil droit, ce qui est d'ailleurs fréquent chez les gauchers comme moi. C'est une sorte de compensation. »

Je suis frappé par le fait que la myopie, ainsi que le besoin ou non de lunettes et d'autres appareillages optiques, soit un sujet si peu traité dans l'histoire de l'art. Il pourrait fournir une nouvelle explication à propos du style tardif d'un peintre, de l'amplification et du relâchement des coups de pinceau, comme dans les œuvres de vieillesse de Titien et de Rembrandt, où les éclaboussures et touches de pigment sont parfois étonnamment libres. Comme quasiment tous les individus ayant une vision normale, tous deux sont presque certainement devenus presbytes aux alentours de la cinquantaine. En revanche la minutie des détails dans l'œuvre de Van Eyck n'a pu être obtenue qu'à l'aide d'un dispositif grossissant, peut-être une loupe.

Il est important de noter dans le cas des œuvres de LF qu'elles ne sont exécutées qu'en « vision naturelle », qui est sa façon particulière de regarder. Elles ne sont pas vues au travers d'une lentille ; elles ne sont en aucune façon fondées sur une vision photographique du monde, comme tant de peintures figuratives depuis l'époque de Daguerre et de plus en plus aujourd'hui. Même si LF admire l'œuvre de certains photographes – Henri Cartier-Bresson, John Deakin –, il trouve que ce médium n'a pas grand-chose d'utile pour lui en tant que peintre. La photographie, dit-il, fournit énormément d'informations sur la direction de la lumière, mais rien d'autre.

…

Le travail de LF s'est toutefois libéré bien avant que la presbytie de la cinquantaine eût pu l'affecter. Le changement s'amorça vers la fin des années 1950, alors qu'il n'avait pas atteint la quarantaine. Il explique cet étonnant changement de style intervenu à mi-carrière par son désir tout à fait typique de ne pas correspondre à ce que l'on attendait de lui. « A l'époque, j'avais fait une exposition de peintures que j'avais délibérément voulues plus libres. Je suppose que d'une certaine façon, j'étais influencé par les critiques. Certains écrivaient par exemple : "C'est un excellent dessinateur, mais ses peintures sont un peu plates." Je me suis dit qu'il fallait que je mette un terme à ça. »

C'est bien entendu une façon de dire que lui-même souhaitait apporter un changement fondamental à son travail : de peintre dont les œuvres étaient une extension de ses dessins, il voulait devenir un peintre dont les tableaux n'étaient pas graphiques mais exécutés d'une manière que seuls permettent le pinceau et la peinture. Il était parvenu à la conclusion que ces critiques formulées il y a soixante ans n'étaient pas entièrement erronées. Ses premières peintures étaient étroitement liées à ses dessins, à tel point qu'un portrait dessiné comme *Girl with a White Dress* (1947)

John Deakin, 1963–1964

possède à peu près les mêmes qualités que ses huiles de la même époque.

La différence entre le travail de LF avant ce changement d'approche et après peut s'observer en comparant, par exemple, le portrait de *John Minton* (1952 ; p. 117) avec le tout aussi remarquable *John Deakin* (1963–1964 ; p. 98) peint une dizaine d'années plus tard.

Le premier est si précis que l'on a l'impression de pouvoir compter chaque cheveu sur la tête de Minton ; celui de Deakin est exécuté avec une telle énergie que, au contraire, on distingue la trace des poils du pinceau dans les tracés vigoureux et les amples volutes qui composent le visage du peintre.

Pour reprendre le jargon des historiens de l'art, LF a décidé de se métamorphoser d'artiste linéaire en artiste pictural. Changer brusquement de style de cette manière était une démarche audacieuse et même téméraire tout à fait caractéristique de LF. Et de fait, cela lui aliéna son soutien le plus ferme et le plus influent, à savoir Kenneth Clark, l'ancien directeur de la National Gallery.

« Après l'ouverture de l'exposition, il m'a envoyé un mot où il disait que j'avais délibérément supprimé tout ce qui rendait mon travail remarquable, ou quelque chose comme ça, et il terminait par : "J'admire votre courage." Je ne l'ai plus jamais revu. »

Après ce changement, le plus radical dans sa très longue carrière, LF abandonna – plus ou moins – le dessin pendant de nombreuses années. Dans les années 1960, il réalisa des aquarelles – encore plus déliées et éclaboussées que ses huiles – et, dans les années 1980, des pastels. Dans les deux cas, il semblait chercher un nouveau moyen de travailler sur papier en accord avec la façon radicalement nouvelle de peindre qu'il avait développée – manière qui, sur le long terme, ne s'avéra pas tout à fait la réponse qu'il cherchait. Les aquarelles comme *Child Resting* (1961) et *Sleeping Girl* (1961) sont réalisées d'une façon encore plus déliée que les plus déliées de ses huiles de l'époque. Mais ce sont aussi, si l'on peut l'exprimer ainsi, les moins freudiennes de ses œuvres.

Le pastel, qu'il essaya ensuite, est le médium par excellence des peintres travaillant sur papier et fut utilisé par Degas, Manet et Chardin. Les pastels de LF tels que *Lord Goodman* (1986–1987) étaient beaux mais constituaient aussi – peut-être – une impasse pour lui. Plusieurs étaient étroitement liés à des gravures. Deux versions de *Cerith* (1989) ont même été réalisées directement sur la gravure du même sujet. Sur le long terme, la gravure fut le médium auquel LF resta fidèle.

A partir des années 1980, ses gravures présentent la précision de détail propre à ce médium, combinée au sens de la masse, de la force et de la puissance plastique de ses peintures. En fait, elles sont la réponse définitive aux critiques d'autrefois. En regardant ces gravures, on sait immédiatement que LF est un grand peintre.

Souvent, lorsqu'il a exécuté le portrait de quelqu'un et qu'il en est satisfait, LF aime le prolonger par une gravure. Il est possible qu'il veuille faire de même dans mon cas, et c'est une éventualité à laquelle je dois réfléchir. Ai-je envie qu'il grave mon portrait et, à vrai dire, aurai-je le courage de reprendre à zéro tout le processus des séances de pose lorsque le tableau en cours sera terminé – s'il l'est jamais ?

26 janvier 2004

J'arrive tôt ou, plus précisément ponctuellement, à 18 heures, après avoir interviewé Sarah Lucas – autre artiste sur laquelle j'écris pour le *Daily Telegraph* – à l'autre bout de Londres, à Hackney, et effectué un long périple en train, bus et métro pour rejoindre l'atelier de LF.

Il fait très froid et la température ne cesse de baisser. LF a décidé de ne plus aller peindre au haras jusqu'à ce que le temps s'améliore. Il me montre une épreuve du portrait d'un de ses modèles – que je n'ai jamais rencontré – qui a un quart de sang afro-antillais. La gravure est sortie avec un effet extrêmement doux et argenté du fait que la cire a commencé à se détacher du métal au bout d'un quart d'heure de trempage dans le bain d'acide, de sorte qu'au lieu de simplement mordre les lignes incisées de LF, l'acide s'est attaqué à la totalité de la surface. L'imprimeur a dû la sortir du bain en toute hâte (le trempage dure généralement quarante minutes). C'est la deuxième fois que la chose arrive à LF au cours des deux dernières années. La première fois, la gravure – qui représentait au bas mot une centaine d'heures de travail – a été totalement gâchée, ce qui fut pour LF une expérience étrange : « Ce n'est pas tant que vous ayez perdu votre temps, mais qu'on l'ait perdu pour vous. »

L'art de la gravure semble plus exposé aux caprices du hasard que je ne l'avais supposé. LF reste dubitatif devant cette gravure sauvée mais abîmée. « Au début, je ne pouvais tout simplement pas la regarder, et encore maintenant j'ai l'impression que c'est quelque chose qui n'est pas de moi. » Cela pourrait en effet être le cas, car elle a l'aspect délicat d'un dessin du XVe siècle à la pointe d'argent, mais elle est très belle.

…

Rien n'a marché, explique LF, avec son modèle aux cheveux crépus, sauf cette gravure – et voilà que même celle-ci a presque été détruite par l'acide (p. 102 et 103).

Comme la jeune fille a abandonné son travail dans une boutique pour poser, cela a dû être décourageant pour elle (même si, à mon avis, la gravure est magnifique). « Quand les choses vont mal, remarque LF, je deviens superstitieux, alors que quand elles vont bien, je l'accepte, j'ai l'impression que c'est normal. Quand ça se passe mal, je commence à en chercher les raisons. »

Un grand nombre des œuvres de LF ne vont pas jusqu'à leur terme. De temps à autre, un tableau à moitié terminé ressurgit des profondeurs d'un des ateliers, et il l'examine à nouveau.

Jeune femme posant pour la gravure *Girl with Fuzzy Hair*, 2003

Girl with Fuzzy Hair, 2004

D'un autoportrait inachevé qui a refait son apparition – et qu'il a dû commencer, à en juger par ses cheveux noirs et la jeunesse de son visage, plusieurs décennies auparavant – il dit : « Comme il paraît prometteur, je l'ai repris une ou deux fois. Mais à chaque fois, je comprenais à nouveau pourquoi je ne l'avais pas poursuivi autrefois – exactement comme un médecin pourrait dire de tel enfant qu'il ne grandira jamais correctement. Je sentais qu'il ne deviendrait jamais un tableau fini. Il y a quelque chose qui ne va pas. J'ai dans mon atelier des tas de tableaux qui n'ont pas fonctionné. J'ai l'impression que les garder autour de moi m'aide à continuer à peindre. Un tableau peut déraper au bout de quatre jours, pour d'autres il faut parfois plus longtemps. »

…

Vers la fin de la séance, au lieu de travailler d'une manière posée et mesurée, LF commence à appliquer une peinture foncée en longs coups de pinceaux verticaux, de haut en bas. « Je vais vous dire quelque chose, j'aimerais bien vous la réduire un peu » (« la » étant ma tête). Quand je regarde la toile, je constate l'apparition à partir du bord droit d'une grande zone sombre et irrégulière.

Une angoisse a surgi au fond de mon esprit : et si ce portrait de moi tournait mal et que le marathon des séances de pose s'avérait un pur gaspillage de temps ? Que se passera-t-il s'il perd soudain tout intérêt pour moi en tant que sujet, comme il l'a fait avec ce cheval qu'il a finalement décidé de ne pas peindre ?

30 janvier 2004

Ce matin, LF m'a appelé pour confirmer la séance. Il a neigé toute la nuit et il est très excité. « Les arbres ont mis leur veste blanche et les rues sont tout enneigées. C'est incroyable. » Si l'absence d'enthousiasme à propos de la neige est un signe de vieillissement, alors, à l'aune de ce test en tout cas, LF est toujours jeune.

L'atelier est transformé. Le tableau du nu aux cerises, dont les éléments – parmi lesquels, sortant du coussin, sa touffe de plumes qui ne devait être dérangée sous aucun prétexte au motif qu'elle posait – faisaient depuis si longtemps partie du décor de l'atelier, est terminé et a été retourné contre le mur. LF explique que c'est parce qu'il ne veut pas penser à ses tableaux une fois qu'ils sont achevés. Mais c'est un peu déconcertant. Une présence s'en est allée ; un micro-univers a disparu. La pièce a été nettoyée et balayée, le plancher lavé par le beau-fils de LF, Kai (« Si tant est qu'on puisse avoir un beau-fils sans être marié »). Le tas de chiffons dans le coin a lui aussi disparu.

…

LF fait une pause et, puisque c'est désormais autorisé, s'assied sur le lit où s'étendait le nu avec les cerises. Il se met à parler du portrait, à présent perdu, du marchand de livres anciens Bernard Breslauer qu'il a peint dans les années 1950.

« Il avait une allure absolument repoussante. Il allait souvent chez Muriel [The Colony Room, un club privé de Soho], et un jour une femme complètement ivre l'a bousculé. En levant la tête vers lui, elle a dit : "Vous venez de me gâcher ma journée." Mais il avait une certaine distinction. Il possédait un dessin de William Blake, par exemple. Il avait chez lui des choses très belles.

« Il a suggéré que je fasse son portrait et un jour, pendant une pose, j'ai probablement été gagné par l'agitation, comme cela m'arrive souvent quand je peins, et j'ai dû marmonner quelque chose comme : "C'est ravissant ! — Vous n'auriez pas dû dire c'est ravissant, a-t-il aussitôt objecté, mais : vous êtes ravissant !"

« Je me suis dit [et là LF croise les bras avec un air indigné] : "Bon, si c'est comme ça !", et je l'ai rendu encore plus répugnant qu'il l'était en réalité. J'ai représenté sa chair comme un truc verdâtre, mou et flasque, et je lui ai fait porter un chandail à col roulé par-dessus lequel ses joues pendent d'une façon horrible. Quand j'ai fini le tableau et que je le lui ai envoyé, il m'a écrit une lettre disant que j'avais enfreint le contrat implicite liant le peintre et son modèle. Eh bien, si un tel contrat existait, c'est exactement ce que je voudrais faire : l'enfreindre. »

En l'occurrence pourtant, il semble bien que ce soit LF qui ait enfreint une de ses propres règles de conduite. Il est en effet très rare chez lui qu'il travaille avec quelqu'un pour qui il n'éprouve aucune sympathie – comme ce fut le cas dès le départ avec ce modèle.

Il semble bien qu'au fur et à mesure des séances, l'irritation envers son modèle ait fini par prendre le dessus chez LF. Aujourd'hui, même s'il aimerait bien revoir le tableau, il a quelques doutes sur l'apparence du résultat final. Il craint qu'il ait un côté caricatural.

« Plus tard, alors qu'il avait déménagé à New York, nous avons écrit à Breslauer afin de lui demander de prêter le tableau pour une exposition. Il a répondu qu'il n'avait aucun objet de ce genre en sa possession. Pourtant je pense qu'il ne l'avait certainement pas détruit, d'une part parce qu'à l'époque il avait acquis une certaine valeur, et d'autre part parce que c'était un portrait de lui. » Un instant de silence. « Ce tableau est quelque part. » [En fait, il s'avérera que le portrait avait bien été détruit par le modèle.]

Il existe, de manière implicite mais pas nécessaire, un conflit d'intérêt entre le peintre et son modèle. Le point de désaccord potentiel est bien entendu l'apparence qu'aura le modèle sur la toile. L'artiste veut que le tableau soit aussi puissant et intéressant que possible ; le modèle souhaite peut-être la même chose, mais peut difficilement s'empêcher de souhaiter également y paraître à son avantage.

Une partie du problème provient de ce que peu d'entre nous savent vraiment à quoi ils ressemblent. Autrefois, les gens étaient souvent totalement ignorants de leur propre aspect.

Un photographe de rue londonien du XIXᵉ siècle a déclaré à Henry Mayhew, qui écrivait la chronique de la vie des pauvres gens durant l'ère victorienne, qu'il avait constaté que « les gens ne connaissent pas leur propre visage. La moitié d'entre eux ne se sont pas regardés plus d'une demi-douzaine de fois dans un miroir au cours de leur vie entière, et il leur suffit de voir un nez et deux yeux pour croire que ce sont les leurs ». Cet homme avait pour habitude de préparer d'avance des photos d'inconnus et de les fourguer à ses clients comme leur propre portrait.

Dans le cas de modèles plus sophistiqués ayant un accès régulier à un miroir, le problème tient alors plus d'une forme d'aveuglement à son propre égard. Face au miroir nous arrangeons plaisamment nos traits, rentrons le ventre, présentons notre meilleur profil et pensons que le résultat correspond à la vérité. Les photographies qui ne répondent pas à cette apparence, nous les écartons comme de mauvaises représentations accidentelles.

LF est impitoyable à l'égard de ce genre de susceptibilité chez ses modèles. Andrew Parker Bowles, me raconte-t-il, a protesté devant la façon dont son estomac pointe entre les pans de sa veste sur son portrait en pied en attente dans la pièce à côté. « Il a commencé à se plaindre, alors j'ai décidé de lui accentuer un peu plus le ventre. »

Il continue dans son entreprise de « réduction » de ma tête, ce qui démontre bien que le tableau – comme toute œuvre d'art, qu'elle soit faite de mots, de peinture, de pierre ou de tout autre matériau – est une entité qui suit ses propres lois intérieures. Dans le cas présent, c'est un problème de proportions, c'est-à-dire une question totalement distincte de celle de savoir si le portrait me ressemble, s'il me flatte ou l'inverse. « Vous êtes ici, déclare-t-il d'un ton ferme, pour aider le tableau. » L'idée implicite, et certainement correcte, est qu'il faut donner la priorité au tableau et à ses exigences.

En 1954, LF écrivait que « pour nous émouvoir, le tableau ne doit pas se contenter de nous *rappeler* la vie mais acquérir une existence propre, précisément pour *refléter* la vie ». Cela renvoie à l'un des sentiments les plus anciens concernant l'art figuratif, un sentiment qui s'exprime dans le mythe de Pygmalion – la sculpture qui descend de son socle – et, avant lui, dans ces statues égyptiennes attendant dans l'obscurité de la tombe d'accueillir les âmes des défunts.

3 février 2004

Aujourd'hui, avant de me rendre à l'atelier, j'ai interviewé Carl Andre, le sculpteur minimaliste américain dont l'œuvre *Equivalent VIII* (qu'on appelle aussi « les briques de la Tate »), avait en son temps suscité une énorme controverse. On pourrait supposer que se rendre en taxi à l'atelier de LF après avoir pris le thé chez Andre implique un changement radical de vitesses mentale et artistique, mais il s'avère que LF manifeste un grand intérêt pour cet artiste. Andre possède une caractéristique qui est à la fois hautement originale et, d'une certaine manière, radicalement opposée à ce qui intéresse LF en tant qu'artiste : il refuse obstinément de se laisser photographier. Aucun catalogue, aucune monographie à son sujet ne comporte le moindre portrait de lui. A part ses amis et connaissances, nul ne sait à quoi il ressemble. C'est un artiste anti-portrait.

« A chaque fois je porte cette écharpe bleue, mais vous ne l'avez encore pas même esquissée », fais-je remarquer à LF à la fin de la séance. En fait, depuis quelque temps, le tableau semble avancer très lentement, voire pas du tout, tandis que LF s'emploie, comme il le dit, à « renforcer le haut de votre visage et vos cheveux ».

« C'est vrai, rétorque-t-il, mais j'ai toujours cette écharpe à l'esprit. Je peins le visage en utilisant des couleurs très variées, parce que lorsque l'écharpe apparaîtra, elles vireront au monochrome. » Dans le contexte du travail de LF, le bleu est une teinte exceptionnellement vive et saturée. De toute évidence, il a beaucoup réfléchi à la façon de l'intégrer correctement au tableau.

Cela révèle à quel point, en dépit de son affirmation selon laquelle il ne sait jamais comment un tableau va tourner, LF déploie en réalité une véritable stratégie dans sa façon de procéder. Bien entendu, les deux choses ne sont pas incompatibles. La progression du tableau peut varier d'une séance à l'autre, mais il est évident que dès le départ, LF a eu à l'esprit le bleu roi et su que tout le restant de la toile devait être conçu en fonction de lui, de même que la progression d'un morceau de musique peut dépendre d'un passage crucial dans une certaine tonalité.

LF accorde autant d'attention au mélange et au choix des pigments qu'à la façon de les disposer sur la toile. A présent, la variété des couleurs qu'il prépare est stupéfiante ; je continue à passer beaucoup de temps à essayer de deviner, et je me trompe souvent, à quelle partie de mon visage elles sont destinées. Le mélange est généralement préparé avec beaucoup de soin, à l'aide de la pointe du couteau, une minuscule quantité de rouge, disons, dans une grosse noix de blanc. (LF se plaint de ce qu'il ne pourra bientôt plus se procurer cette sorte de blanc, vendue dans une boîte métallique, en raison de je ne sais quelle réglementation européenne.) Kaki, gris perle, rose, et même vert citron et touches de vert-de-gris sont apprêtés et ajoutés à mon visage.

Quand on observe de près un portrait par LF, on constate − comme l'a remarqué Damien Hirst − qu'il se dissout, tel un désert vu du ciel, en une mosaïque de formes et de teintes. Celles-ci ne sont pas plates, mais pour ainsi dire directionnelles, les traces des coups de pinceau restant visibles telles des lignes de force. Des épaisseurs et reliefs se détachent comme des affleurements rocheux captant la lumière. Pris séparément, quelques centimètres carrés de ce patchwork sont esthétiquement séduisants et parfaitement abstraits. Mais reculez un peu, et tout cela se métamorphose en formes arrondies de peau et de chair recouvrant l'ossature.

Comme on peut aisément l'imaginer, LF s'intéresse énormément aux pigments − aux différences entre eux et à la façon

L'atelier de Holland Park, 2004

dont chacun se comporte. « J'ai lu autrefois un livre de Max Doerner, *The Materials of the Artist and Their Use in Painting*, qui contient des tas d'informations passionnantes sur les pigments. Il en existe un, le blanc de Kremnitz, dont il dit quelque chose comme : "J'hésite à le recommander car il est hautement nocif" – parce qu'il est composé de plomb quasiment pur. »

Le blanc de Kremnitz est deux fois plus lourd que le blanc de plomb ; on pourrait le qualifier de « pigment extrême », comme on parle de « sports extrêmes ». Il se situe à la frontière entre les matériaux artistiques et l'ingénierie chimique. Dans son livre sur LF publié en 1982 – qui m'a fait connaître Lucian –, Lawrence Gowing fait d'intéressantes observations sur LF et le blanc de Kremnitz. « Il coagula en petits grumeaux qui continuèrent d'absorber la peinture qui séchait et finirent par conférer à la surface une texture granuleuse. » Cette texture grumeleuse est caractéristique du travail de LF – ou en tout cas d'une partie de son travail – et lui donne un aspect unique, tout à la fois pesant et chatoyant. « Dans *Pregnant Nude*, par exemple, écrit Gowing, la lumière elle-même semble acquérir du grain en tombant sur les cuisses, avec une incandescence qui réagit puissamment à la richesse de la chair. »

LF évoque avec désinvolture ce pigment réputé dangereux. « Bah, je l'ai utilisé pendant des années sans qu'il me cause le moindre mal. Evidemment je n'en ai pas mangé. Si je travaillais en faisant gicler la peinture de tous les côtés, ce ne serait peut-être pas la même chose. Francis [Bacon] mélangeait parfois la peinture à même son avant-bras, jusqu'au jour où, ayant développé une sorte d'allergie, il a dû cesser de le faire. »

LF a dit des choses mémorables à Gowing. Il lui a expliqué par exemple qu'il voulait que sa peinture « fonctionne comme de la chair ». « Je sais que ma conception du portrait est venue de mon insatisfaction devant les portraits qui ressemblent à leur sujet. J'aimerais que mes portraits soient des portraits *de* gens, et non *comme* eux. Qu'ils ne *ressemblent* pas au modèle, mais qu'ils *soient* le modèle. Je ne voulais pas parvenir à la ressemblance comme dans une imitation, mais les *incarner*, comme le fait un acteur. [Il souligne fortement le mot « incarner ».] Pour moi, la peinture *est* la personne. Je veux qu'elle fonctionne à mes yeux comme le fait la chair. »

6 février 2004

Je me sens assez fatigué et je le dis à LF. Il rétorque qu'il l'a vu à mes yeux lorsque je suis arrivé mais qu'à présent ils ont retrouvé leur aspect habituel. Le niveau d'énergie est l'une des nombreuses informations sur une personne que l'on peut déceler en regardant son visage.

LF me raconte qu'il a rencontré l'acteur John Gielgud une seule fois dans sa vie, alors qu'il attendait l'ascenseur. « Il est sorti de la cabine et a déclaré : "Vous avez l'air en excellente forme !" Je lui ai aussitôt demandé comment il pouvait le savoir puisqu'il ne m'avait jamais vu auparavant. "Ça n'a absolument rien à voir", m'a répondu Gielgud. » Gielgud avait sans doute raison, car le fait de paraître en bonne forme est un état que l'on peut constater chez un inconnu : il n'est nécessaire de connaître cette personne que pour juger si elle va mieux ou moins bien que d'habitude. La fatigue ou la maladie peuvent se constater même chez un inconnu.

« J'ai des petits problèmes depuis quelques jours », m'avoue LF qui me semble en effet un peu moins en forme que d'habitude. Un des problèmes est que le nouveau modèle, la serveuse, n'a finalement pas convenu. Il y a quelques jours, en venant poser, j'ai aperçu un dessin au fusain, un grand nu aux genoux ramenés contre la poitrine. LF trouvait que les choses allaient si bien qu'il avait presque commencé à le peindre, un signe extrêmement positif pour une première séance. « Mais il m'a semblé que ce serait comme d'aller un peu trop loin lors d'un premier rendez-vous, quand on vient juste de faire connaissance. »

Or dès la séance suivante, tout est allé de travers. La fille s'est présentée avec près de deux heures de retard et n'a pas compris en quoi cela posait problème. « Quand elle a fini par arriver, elle a déclaré qu'il ne valait mieux pas qu'elle pose parce que j'étais trop énervé. Bien entendu, j'ai renoncé à la peindre. Ça a été tout simplement un profond malentendu. Ce que j'attends avant tout de mes modèles, en définitive, c'est de pouvoir compter sur eux.

« Je crois que beaucoup de mes modèles sont des filles qui ont dans leur existence un vide que vient combler la possibilité de poser pour un artiste. Je pense aussi que cela les aide si d'une manière ou d'une autre, même avec une certaine nervosité, elles sont contentes d'elles-mêmes, de leur apparence physique. Mais au bout du compte, ce dont j'ai vraiment besoin, c'est de pouvoir compter sur elles, qu'elles se présentent à chaque séance. »

De nombreuses embûches guettent LF et ses modèles, notamment lorsque ce sont de jeunes femmes. Elle ne réalisent pas toujours le temps qu'elles devront consacrer aux séances, elles ne sont pas toujours conscientes de s'engager dans un véritable test d'endurance, ou sont parfois trop désinvoltes pour honorer la ponctualité et la régularité que l'on attend d'elles. Elles peuvent avoir un fiancé, vouloir voyager ou mener une vie sociale – tout sauf rester des heures et des heures immobiles dans un atelier. Ou alors, à mesure que peintre et modèle se connaissent mieux, il se peut que LF constate qu'il n'a pas de sympathie pour elle, ou bien c'est le modèle qui n'arrive pas à s'entendre avec lui.

Le processus est de nature si intime que – comme dans un mariage ou une relation durable – la moindre incompatibilité est susceptible d'entraîner tôt ou tard des frictions. Depuis que je pose pour LF, je passe plus de temps en sa compagnie qu'avec quiconque, à l'exception de ma femme et de mes enfants, et plus de temps à parler avec lui qu'avec tout autre. C'est un peu comme retomber en enfance : du temps à ne plus savoir qu'en faire, en tout cas pour le modèle, si ce n'est bavarder. Je ne suis pas certain que

cela comble un vide dans ma vie, mais c'est une expérience capti-
vante. Je n'ai aucune envie que cela prenne fin et en même temps
– du fait que la progression du tableau est si éperdument lente –,
je suis impatient que cela se termine.

« Depuis combien de temps posez-vous maintenant ? s'en-
quiert LF d'un air détaché. — Depuis novembre. » Il est surpris :
« J'ai l'impression que cela fait à peine dix minutes. » Il faut dire
que pour lui, c'est la substance même de son quotidien ; sitôt
qu'un tableau est achevé, un autre commence. Dans l'atelier
règne un éternel présent. Le temps est suspendu. Il y a toujours
un détail à étudier, une couleur à obtenir. Rien ne presse. C'est
l'une des raisons pour lesquelles poser pour lui est aussi apaisant,
presque thérapeutique.

D'un autre côté, pour quelqu'un qui ne porte pas de montre,
le sens qu'a LF du temps est souvent d'une précision affolante.
Il devine souvent l'heure qu'il est à la minute près.

« Il doit être environ neuf heures et quart, n'est-ce pas ?
— Oui, 21 h 14.
— En général, quand je suis en forme, je sais exactement
quelle heure il est. »

Je suppose que cela veut aussi dire que lorsque le tableau
avance bien, sa concentration et ses sens sont totalement en éveil.

…

Ce soir, LF déclare qu'il a bien avancé, mais qu'à la fin de la séance
il a eu l'impression qu'il aurait pu beaucoup progresser d'un coup.
Comme je pense que c'est dommage que nous nous soyons
interrompus pour aller manger, je déclare que si l'occasion se
représentait, je me contenterais volontiers d'un sandwich. Mais
pour LF, le repas fait partie du rituel et du processus : une heure
ou deux d'observation supplémentaires.

Depuis plusieurs séances le portrait paraît n'avoir pas beaucoup évolué, même s'il n'a cessé de se renforcer et de s'ajuster.

A la fin de la dernière séance, ma bouche est soudainement apparue, même s'il ne s'agit encore que d'une mince ligne rouge. C'est le signe que Lucian est prêt à franchir la frontière – qui court en travers de mon visage à peu près au niveau de ma lèvre supérieure – à laquelle le travail s'était arrêté il y a une quinzaine de jours, telle une armée retenue dans sa progression.

A présent, enfin, les choses avancent. Ma bouche entière apparaît et, à ma grande surprise, semble presque sourire – une expression très inhabituelle dans un portrait de LF. Cette image, je le découvre peu à peu, devient une sorte d'alter ego. Elle révèle également la façon dont LF me voit ou, plus précisément, les possibilités qu'il voit en moi pour un tableau.

Assis dans mon fauteuil, il y a des moments où je me sens rongé par la vanité. De quelle teinte de gris va-t-il peindre mes cheveux ? Jusqu'à quel point va-t-il faire tomber mes joues ? Parfois, m'inquiétant de ce que ma mâchoire s'affaisse selon un angle que je soupçonne n'être pas très flatteur, je profite d'un moment où il ne regarde pas pour la relever subrepticement d'un demi centimètre.

Pour sa part, LF est de plus en plus préoccupé par l'angle d'inclinaison latéral de ma tête. Lors de la première séance, j'ai dû la tenir penchée vers la droite, mais à présent, la moitié du temps, j'ai instinctivement tendance à l'incliner un peu vers la gauche, de sorte que vingt fois par séance, LF s'interrompt et me dit : « Pourriez-vous orienter votre menton vers la droite ?… non, là c'est trop… comme ça c'est parfait ! »

11 février 2004

LF est frappé de ce que l'autre jour, vendredi dernier, nous avons parlé de son cousin Walter, fils de son oncle Martin, qu'il a également évoqué plus tard avec quelqu'un d'autre, et qu'aujourd'hui son avis de décès est paru dans la presse. A propos de cette sorte de perception extrasensorielle, il remarque : « Autrefois je travaillais avec un modèle lorsqu'un jour, alors que j'étais en train de peindre ses seins, j'ai eu la très étrange sensation qu'ils étaient totalement vides, qu'il n'y avait rien. Deux jours après, cette fille se suicidait. »

C'est un lieu commun de dire, concernant le portrait, que l'artiste perçoit au-delà de l'apparence extérieure de ses modèles, qu'il voit dans leur esprit et – si une telle chose existe – dans leur âme. Je mentionne l'extraordinaire portrait qu'a fait LF du peintre John Minton (1952 ; p. 117), dans lequel le modèle semble condamné, comme s'il était sur le point de succomber au stress émotionnel. Minton a fini lui aussi par se suicider. Les photographies de lui, pourtant, révèlent beaucoup moins – presque rien, en fait – de la tension intérieure et de l'anxiété qui transparaissent si clairement dans le tableau de LF. Mais LF semble estimer que cela procédait moins de sa propre perspicacité que de l'évidence.

« Ça, être condamné, c'était tout à fait son truc. Je pense qu'il avait une idée derrière la tête pour ce portrait, car il en a fait don au Royal College of Arts où il enseignait. Je le connaissais très bien, il ne cherchait pas du tout à cacher qu'il se sentait condamné et en plaisantait. Au restaurant, par exemple, quand le serveur arrivait, il lui demandait de nous apporter "une bonne bouteille de Château Hysteria".

« Il m'a légué deux cents livres dans son testament, ce qui est fort aimable de sa part. Mais comme il était plus généreux que fortuné, il a distribué plus qu'il n'avait, de sorte qu'au final, je n'en ai touché que la moitié – mais je dois dire qu'à l'époque ça représentait beaucoup plus que deux cents livres actuelles. »

Voilà un exemple où le peintre – en tout cas un peintre comme LF, qui passe des heures, des mois et parfois des années à observer son sujet – enregistre directement une quantité d'informations infiniment plus vaste que ne le ferait l'objectif d'un appareil photo. C'est donc une question d'expérience accumulée – autrement dit, de mémoire. La raison pour laquelle nous

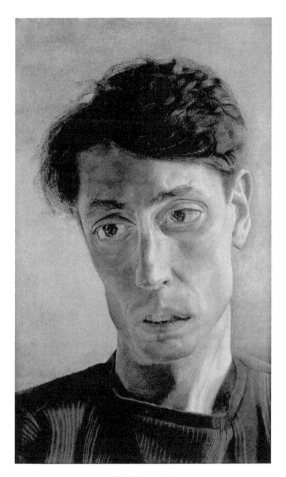

John Minton, 1952

voyons les choses différemment est que chacun de nous observe une chose donnée en fonction de ses pensées et émotions passées. Un peintre est capable d'enregistrer cette réfraction individuelle de la vision sous une forme publique et durable : le tableau.

Ainsi le portrait de Minton par LF est-il le résumé visuel de son appréhension du modèle, en tant que personne, et en tant que peintre raté. « Je pense qu'il avait conscience de ne pas être un bon artiste. Ses tableaux sont affligeants, et même si ses illustrations des livres de cuisine d'Elizabeth David sont meilleures, on voit bien qu'elles sont toutes de ce garçon. Quand il a posé pour moi, je me souviens qu'il m'a dit un jour : "Lucian, quand tu peins le portrait de quelqu'un, tu n'arrêtes pas de regarder le modèle – tu le regardes vraiment vraiment longtemps." Il avait l'air tout surpris. Francis Bacon ne l'aimait pas du tout, il le trouvait stupide. »

LF, en revanche, semble avoir trouvé Minton touchant et tragique, et le tableau qu'il en a fait est à la fois d'une absolue franchise et empreint d'une délicate sympathie.

...

Il existe une nette différence entre les œuvres et les tempéraments de Francis Bacon et de LF, même si dans l'histoire de l'art je pense qu'ils seront associés comme l'ont été Turner et Constable, cet autre couple étrange. Pendant des années, LF a observé avec une grande attention la constitution émotionnelle de Bacon, qui était à la fois son ami et, de temps en temps, son modèle.

« Dans sa jeunesse, Francis était non seulement quelqu'un d'exubérant et de spirituel mais, à sa manière, c'était un sage. Ce que Francis avouait le plus apprécier, c'est ce qu'il appelait "une atmosphère menaçante". La raison pour laquelle il peignait des chiens est que c'était les chiens qui avaient en partie déclenché son asthme, de sorte qu'ils créaient cette atmosphère de menace qu'il aimait tant. Quand il a été appelé pour faire son service militaire, il a loué un chien chez Harrods et a dormi avec lui.

Le lendemain matin, il avait la respiration sifflante et ne pouvait pas prononcer un mot – et de toute façon je pense qu'il eût été fort improbable qu'on le juge apte. (Il n'y avait que chez Harrods que vous pouviez louer un chien pour la nuit. Francis adorait Harrods. Il disait que c'était le seul magasin où vous pouviez expliquer que vous aviez oublié votre argent par mégarde et qui acceptait de vous faire crédit.)

« Un jour Francis avait fait passer une annonce dans le *Times* : "Jeune gentleman prêt à entreprendre n'importe quelle tâche." Lors d'un entretien, lorsqu'il entra dans la pièce, l'employeur potentiel était déjà rouge de colère, ce qui provoqua une extrême excitation chez Francis. "Sortez, sortez ! hurla le type. Je vois bien que vous êtes aussi feignant que tous les autres !" »

Cet état d'esprit explique beaucoup de choses concernant les tableaux de Bacon, aussi bien d'animaux que d'êtres humains, car souvent leur puissance provient en partie de leur caractère effrayant. Ils ont l'air de gronder en regardant le spectateur, ou encore de lui adresser le sourire menaçant d'un gangster. Bêtes et hommes semblent se fondre en une sorte de flou sauvage suggérant quelque créature sur le point de vous sauter à la gorge.

L'objectif de Bacon était de saisir la réaction viscérale éprouvée lors de la rencontre avec un autre être vivant. Très souvent, ses personnages et animaux sont en mouvement, comme s'ils allaient bondir ou attaquer toutes griffes dehors. Il travaillait rarement à partir d'un modèle vivant.

Dans les années 1960, LF réalisa un tableau de l'amant de Bacon, George Dyer. Mais son Dyer, *Man in a Blue Shirt* (1965 ; p. 120) – mélancolique, songeur, un peu perdu – est un individu très différent du personnage extrêmement turbulent qui apparaît si fréquemment dans les tableaux que Bacon peignit dans les années 1960 et au début des années 1970. Leur liaison, selon LF, était dès le départ vouée à l'échec en raison de toutes sortes d'incompatibilités. Bacon était un masochiste, mais Dyer n'était pas un sadique.

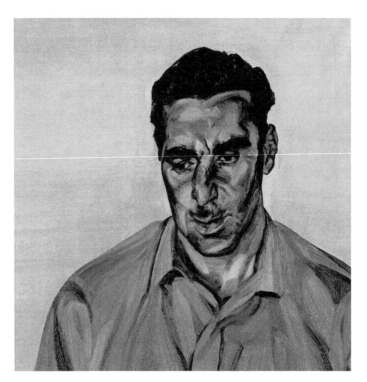

Man in a Blue Shirt, 1965

« Francis a fait la connaissance de Dyer, qui était cambrioleur, alors que celui-ci tentait de pénétrer dans son appartement. Francis trouva chez ce criminel une violence très excitante. Ils couchèrent aussitôt ensemble. Mais en réalité, il s'agissait d'un total malentendu. George n'était pas homosexuel – même s'il avait un comportement très étrange. Il aimait beaucoup Francis, qui avait pour habitude de sortir et de se faire casser la figure – chose dont il se délectait –, puis de revenir avec les yeux au beurre noir, le corps couvert d'ecchymoses. George se montrait alors bouleversé et inquiet, ce qui n'était pas du tout ce qu'attendait Francis. George a fini par sombrer dans la dépression et il est venu s'installer pendant quelque temps chez moi à Paddington où je l'ai peint. Et au bout du compte, comme vous le savez, il s'est suicidé. »

Je fais remarquer que si Bacon appréciait les ambiances de menace, LF aime pour sa part les atmosphères de danger. « Ma foi, c'est vrai, s'empresse-t-il d'acquiescer. J'adore tenter ma chance et prendre des risques. »

21 février 2004

À 18 heures je sonne chez LF alors que je me suis réveillé le matin même en Arles où je viens de passer quelques jours en famille à visiter les endroits où Van Gogh a vécu et travaillé. Josephine doit venir en voiture de Cambridge pour nous rejoindre, après quoi nous irons à la National Gallery avec David Dawson pour voir l'exposition du Greco. Je montre à LF quelques catalogues d'exposition que j'ai achetés en Arles ; dans l'un d'eux figure le fac-similé de la pétition signée par les voisins de Van Gogh pour le faire enfermer en raison du danger qu'il représentait pour les habitants du quartier.

LF est très frappé par le dessin d'un homme, peut-être un substitut de Van Gogh lui-même, marchant sur la route de

Tarascon, mais il précise que de toute façon, il n'a jamais rien vu de Van Gogh qui ne soit magnifique. « Même ses toutes premières choses, à l'époque où il commençait juste à dessiner, sont formidables. Je n'ai jamais rien vu de mauvais. » Et c'est d'autant plus extraordinaire que Van Gogh travaillait à un rythme stupéfiant – il peignait parfois plus d'un tableau par jour –, notamment pendant ses derniers mois à Auvers.

La vitesse à laquelle un tableau est exécuté est une affaire toute personnelle. Chaque artiste a son propre rythme de travail : certains sont rapides comme l'éclair, d'autres lents. En novembre 1888, Van Gogh peignit son premier portrait de madame Ginoux, *L'Arlésienne*, en une heure, comme il le précise dans une lettre à son frère Théo, avant de ramener un peu plus tard son estimation à quarante-cinq minutes. Pour ce qui est de la vitesse d'exécution, LF se situe à l'extrémité opposée du spectre. En général, il lui faut cent fois plus de temps que cela, voire davantage, pour peindre un tableau.

Il raconte une anecdote à propos de Picasso. « Quand j'étais à Paris dans les années 1940, j'allais souvent dans son atelier au coin de la rue des Grands-Augustins, un endroit absolument merveilleux. Il occupait deux étages dans un grand et magnifique bâtiment du XVIIe siècle. Un jour, Picasso me montra quelques tableaux et me demanda de désigner ceux que je trouvais les meilleurs. J'en sélectionnai quatre ou cinq, sur quoi il me déclara : "Je suis très content que vous ayez choisi ceux-ci car ils comptent parmi ceux que j'ai faits hier."

« Je n'ai vraiment pas su que penser de cette remarque. Il est exact qu'il lui arrivait parfois de peindre très vite, mais après coup je me suis demandé pourquoi la peinture était déjà sèche. Ou alors c'est que, comme j'avais l'habitude de manipuler des tableaux et que j'avais fait ça avec précaution, je n'avais pas prêté attention à ce détail. »

En revanche, Ingres – un artiste auquel LF voue une grande admiration – a mis une dizaine d'années, avec des pauses et des

Titien, *Diane et Actéon*, 1556–1559

périodes de désespoir, pour achever son portrait de Madame Moitessier (1856, National Gallery, Londres). C'est là un record que même LF n'a pas, pour l'instant, égalé.

…

LF s'intéresse énormément aux maîtres anciens et il est d'une grande partialité dans ses jugements (il ne faut pas manquer d'audace pour rejeter Raphaël et Léonard de Vinci). Il est surtout transporté d'enthousiasme pour les deux derniers Titien, *Diane et Actéon* (1556–1559 ; p. 123) et *Diane et Callisto* (1556–1559), que le duc de Sutherland a laissés durant de nombreuses années en prêt à la National Gallery of Scotland à Edimbourg. (En 2009, *Diane et Actéon* fut acquis conjointement par la National Gallery de Londres et celle d'Ecosse pour que le tableau reste au Royaume-Uni.) En 2001, LF m'a longuement parlé de ces deux tableaux alors que j'écrivais une série d'articles dans lesquels je demandais à des artistes de choisir une grande œuvre du passé et de la commenter. Ses déclarations d'alors expriment en quelque sorte ce qu'il aime dans la peinture et donc ce qu'il vise dans son propre travail. C'était particulièrement sensible dans le tout début de ses propos : « Ces deux Titien sont intimes et, en même temps, grandioses.

« Il y a environ vingt ans, alors que je vivais près de la frontière écossaise, je me rendais en voiture à Edimbourg presque chaque jour pour les regarder. Cet intérêt soutenu de ma part a d'ailleurs fini par inquiéter les gardiens.

« La National Gallery of Scotland possède également un magnifique Rembrandt, *Femme au lit* (v. 1645), et normalement, je n'aurais pas pu imaginer ne pas passer d'abord voir un tableau comme celui-là. Mais il paraissait dégager une telle ambiance de chambre à coucher sombre et presque miteuse par rapport aux Titien qui, au contraire, regorgent de lumière et de grand air.

« Depuis lors, ils sont presque devenus mes deux tableaux préférés. J'aime beaucoup de choses dans ces tableaux. J'aime le fait que plus on les regarde, plus on a l'impression d'y voir un grand nombre de chiens. Et la façon dont l'étoffe posée sur la branche à droite dans *Diane et Callisto*, et le rideau à gauche dans *Diane et Actéon* ont de toute évidence été peints à la dernière minute, par simple joie de vivre.

« Je ne saurais dire lequel je préfère, mais j'adorerais en avoir un accroché dans mon salon, même si je ne suis pas sûr qu'il y entrerait. Comme toutes les choses qui me touchent beaucoup, après les avoir vues, je n'arrive plus à me souvenir de leur taille.

« Comment se fait-il que ces tableaux, qui sont aussi dépourvus d'effort apparent que ceux de Matisse, puissent vous affecter plus que n'importe quelle tragédie ? Tout ce qui s'y trouve est là pour le plaisir du spectateur. Ce qui s'y passe n'a guère d'importance. L'eau, les chiens, les personnages, même s'ils sont liés les uns aux autres, ne sont là que pour nous plaire. Pour moi, ce sont tout simplement les plus belles images au monde. Une fois que vous les avez vues, vous n'avez plus qu'une envie : les revoir et les revoir encore. »

...

Pendant la séance, et avant d'aller voir l'exposition, nous parlons un peu du Greco. Je déclare que pour ma part, c'est un de ces artistes dont l'œuvre nous plaît quand on est jeune, puis que l'on rejette ensuite comme étant trop évidente, trop facile. Ce n'est que par la suite que l'on comprend que c'est tout compte fait un grand peintre.

LF dit qu'il aimait beaucoup Le Greco dans son adolescence et qu'il recherchait les reproductions photographiques de ses tableaux. *Saint Martin et le mendiant* (1507–1599 ; National Gallery of Art, Washington) était l'un de ses préférés (ce fut aussi un des miens à l'époque où je commençais à m'intéresser à l'art). Je trouve qu'il existe une certaine affinité entre les dessins de jeunesse de LF, avec leurs visages allongés, et Le Greco (p. 126). Mais aussi

Old Man, after El Greco's St Philip, 1940

admiratif soit-il de certains tableaux – comme des deux Titien, par exemple –, LF estime que l'on ne doit pas faire preuve à leur égard d'une révérence excessive. Un peintre ne doit considérer ce qui a été produit avant lui que comme une aide pour son propre travail.

Evoquant un de ses amis qui peignit durant des années sans jamais montrer ses tableaux en public, et très rarement en privé, LF a diagnostiqué son problème comme étant « une révérence excessive à l'égard de l'art du passé, ce qui, à mon avis, conduit à une paralysie totale ».

L'approche anarchique qu'a LF de l'existence l'aide à éviter ce piège. Il se rend dans les galeries d'art comme, dit-il, « on se rend chez le médecin, pour pouvoir ensuite se dire "Bon, c'est donc ainsi qu'on peut remédier à ceci, voilà la manière de rectifier cela" ». Cette attitude exige une magnifique confiance en soi : considérer la totalité de l'histoire de l'art comme une aide en vue de ce que l'on veut soi-même accomplir réclame, c'est le moins que l'on puisse dire, une certaine dose d'insolence. Pourtant une telle audace est nécessaire chez un artiste qui a bien l'intention d'ajouter quelque chose de neuf à une tradition vieille de 5 000 ans.

...

Après le dîner, LF, David, Josephine et moi allons voir l'exposition du Greco à la National Gallery. Comme une poignée d'artistes reconnus et d'administrateurs, LF a le privilège de pouvoir visiter le musée durant les heures de fermeture. Neil MacGregor, l'ancien directeur, raconte qu'il rencontrait souvent LF en train de parcourir les salles le soir, et qu'il a beaucoup appris de sa vision d'artiste, très différente de celle d'un historien de l'art.

Se retrouver presque seul dans ce lieu habituellement très fréquenté est une expérience légèrement angoissante. LF est frappé par le grand sens de la réalité qu'expriment certaines œuvres – le S*aint Louis*, venu du Louvre, l'*Enfant allumant une bougie*, en provenance d'Edimbourg, ou le splendide portrait prêté par le musée de Boston (mais pas son cadre hideux). Pourtant, il est très déçu. Il est particulièrement irrité par l'apparence lissée, brillante et aseptisée de beaucoup des tableaux (y compris, malheureusement, le *Saint Martin*). « Je n'ai jamais vu un aussi grand nombre de tableaux bousillés. J'ai l'impression que sur certains, je pourrais presque nommer le blanc de chez Winsor and Newton que le restaurateur a utilisé. »

LF prête une grande attention à la condition physique d'un tableau. Il pense déjà, dit-il, à la manière dont ses tableaux vieilliront avec le temps, et souhaite que les restaurateurs laissent « les vieilles choses paraître vieilles ». Il a été extrêmement furieux, il y a quelques années, par le résultat de la restauration de *La Mort de Procris* de Piero di Cosimo (v. 1495), propriété de la National Gallery, un tableau – avec nymphe allongée, tendre faune veillant et plusieurs chiens – qu'auparavant il adorait.

Certaines de ses déceptions cependant ne tiennent pas à une restauration abusive. « Regardez cette jambe ! » s'exclame-t-il devant la *Crucifixion* (v. 1580) venue du Louvre.

« La qualité la plus importante qu'un peintre puisse avoir, observe-t-il, c'est le sens le plus strict possible de l'autocritique. » C'est la raison pour laquelle LF contrôle aussi sévèrement sa propre production, allant parfois jusqu'à détruire d'un coup de talon une toile qui ne répond pas à ses exigences. Il a le sentiment que Le Greco, qui dirigeait un atelier très actif produisant de multiples versions de certaines œuvres, a laissé sortir un trop grand nombre de tableaux douteux. Son agacement ternit un peu la fin de notre soirée.

24 février 2004

Je me sens fatigué, et LF aussi. Il m'explique que dans son travail les périodes de clarté et de productivité remarquables alternent avec des journées où il se sent très mal. Faire quoi que ce soit – un livre, un tableau, tout projet s'étendant sur une longue durée – lui demande un effort physique et psychologique. Son énergie est consumée, sa force musculaire entamée. Quand on considère l'œuvre d'un artiste – les soixante-dix ans et quelques de la production de Picasso, par exemple, ou celle de Titien –, nous n'avons pas seulement sous les yeux un certain nombre de tableaux, mais un indicateur de la ténacité et de la vitalité d'un artiste, de la vigueur avec laquelle il a continué à œuvrer, à penser et à se préoccuper de ce qu'il voyait, jour après jour, année après année.

Ces séances de pose recèlent un aspect d'endurance pure. Il m'arrive parfois, pendant la dernière heure, d'éprouver la même sensation qu'à la fin d'une longue course à pied ou d'une ascension. LF et moi sommes en cordée, et je tiens à ce qu'il continue d'avancer.

La semaine dernière, dans un taxi qui nous emmenait à la Locanda Locatelli par Bayswater Road, il se tourna vers moi et me demanda tout de go où il pouvait acheter un pèse-personne. Il a depuis quelque temps l'impression d'avoir pris un ou deux kilos (par nature, il n'est pas de constitution forte et c'est l'énergie nerveuse qui l'anime). « Quand vous travaillez debout, même quelques centaines de grammes en plus vous font ressentir une différence. » Cela semble insensé, mais il n'a pas tort : peindre, surtout de la façon dont il le fait, exige une grande vigueur. Je lui dis qu'il trouvera ce qu'il lui faut chez John Lewis.

L'énergie est une autre exigence que LF sait gérer et contrôler, et qu'il puise à des sources parfois étonnantes, comme les cigares, qu'il fumait à l'occasion autrefois, disant qu'ils étaient « excellents pour l'énergie », même si cela fait plusieurs années que je ne l'ai pas vu en fumer un.

La vigueur mentale est également indispensable. Tout projet à long terme requiert cette capacité à poursuivre une fois que la première phase d'excitation est passée, y compris durant les périodes de découragement. Le journalisme, dont je ne pourrais sans doute pas me passer, relève plus du court terme ; on peut écrire un article grâce à une bonne montée d'adrénaline, puis passer à autre chose. C'est d'ailleurs peut-être l'inconvénient de cette activité. Regarder LF en train de peindre mon portrait me fait réfléchir à la manière dont moi-même je travaille. C'est là un exemple, devant mes yeux à chaque séance, de progression graduelle et régulière vers un but final.

LF me raconte l'histoire de Caspar, le fils du peintre Augustus John, qui devait plus tard devenir l'amiral sir Caspar John et First Sea Lord. Quelqu'un évoqua un jour devant lui le contraste entre sa carrière dans la marine et le pittoresque milieu bohème dont était issu son père. « Etre peintre, avait rétorqué l'amiral, exige une immense discipline. »

« J'ai toujours pensé, dit LF, que la vie d'artiste était la plus difficile de toutes. » La rigueur de cette existence – pas toujours apparente aux yeux d'un observateur extérieur – vient du fait qu'un artiste doit s'aventurer dans l'inconnu avec pour seul guide le cap intérieur qu'il s'est fixé, et observer une série de règles qu'il s'impose à lui-même tout en restant convaincu que la tâche qu'il ou elle s'est fixée vaut la peine qu'on lutte sans relâche pour l'accomplir. C'est l'exact contraire de l'idée de désordre bohème.

…

En plus de la forme physique, LF prête la plus grande attention à la confiance et à la résilience mentales, ce qu'il appelle le « moral ». C'est l'une des qualités qu'il détecte infailliblement chez autrui. D'une femme écrivain qu'il a autrefois connue et n'aimait pas, LF dit : « C'est l'une des rares personnes que j'aie connues dont je peux dire qu'elle était "pourrie jusqu'à la moelle". Elle pratiquait ce que la Bible qualifie de "faux témoignage", c'est-à-dire qu'elle mentait systématiquement à propos des actions et des motivations des gens. Un trait marquant chez elle était qu'elle avait un moral très bas, puisqu'elle prétendait par exemple qu'une seule mauvaise critique était capable de la blesser profondément. Mais il est assez rare de rencontrer quelqu'un qui se comporte de façon foncièrement mauvaise tout en étant plein de confiance et d'énergie. C'est ce qu'on appellerait sans doute le mal, chose que l'on ne rencontre pratiquement jamais. »

Quoique généralement bon — comme on s'en doute — le moral de LF est parfois sujet à fluctuations. Toutes sortes de facteurs, parmi lesquels le manque de ponctualité chez ses visiteurs et la banalité dans la conversation, peuvent le gâter.

Il vient par exemple de déjeuner avec quelqu'un de parfaitement agréable. « Mais — je ne sais pas, peut-être est-ce parce que je vieillis — certaines de ses remarques m'ont immédiatement déçu : "Ça doit être merveilleux d'être créatif" ou "J'ai toujours voulu être peintre mais je n'avais aucun talent". Dans ces cas-là, je cherche le premier prétexte pour m'éclipser. »

Le besoin d'œuvrer régulièrement durant une très longue période fait partie intégrante de la méthode de travail de LF. Sa façon de peindre — et, en vérité, toute sa carrière — constitue un exercice de maîtrise de son énergie au travers d'innombrables variations d'humeur et de circonstances. Dans le passé, il y parvenait en dépit d'un mode de vie qui peut à première vue paraître hasardeux et désordonné. « A ma façon, je suis quelqu'un de très égal », se plaît-il à observer.

Une dizaine de jours plus tôt, dans un taxi, j'avais déclaré que certains jours j'avais le sentiment que le travail coulait de source, alors que certains autres, écrire s'apparentait à être englué jusqu'aux genoux dans du porridge. Il a répondu qu'il ressentait la même chose avec la peinture mais, faisant écho à notre échange sur « l'atmosphère de danger », il a ajouté : « Vu mon tempérament, quand les choses me paraissent aller d'elles-mêmes, j'ai aussitôt envie de les mettre à l'épreuve en me montrant plus audacieux. »

...

D'un autre côté, il est extrêmement critique envers lui-même, et c'est en ce sens qu'il a le sentiment que Le Greco s'est laissé aller. Francis Bacon, en revanche, était peut-être d'une rigueur excessive à l'égard de son propre travail. On a dit en tout cas qu'à ses débuts, il avait jeté des tableaux et qu'il le regretta ensuite (certains refirent surface après sa mort).

« Bacon a-t-il détruit des tableaux qui étaient vraiment bons ?

— Eh bien, peut-être aucun de ses meilleurs, mais il était alors très exigeant et en a certainement détruit qui étaient meilleurs que beaucoup de ceux qu'il a faits par la suite. Je me souviens en particulier d'un pape que j'ai vu dans son atelier et que j'aimerais beaucoup revoir. Bien entendu, tout ce qui a disparu déclare, en guise de souvenir : "Tu m'as détruit et tu ne me reverras jamais, et pourtant j'étais tellement magnifique." »

Il est typique de la façon de penser de LF de prêter ainsi une voix aux objets inanimés – une voix plaintive, en l'occurrence. Ici évidemment, l'œuvre disparue exprime la propre inquiétude de LF. Il détruit de nombreux tableaux et gravures, qu'ils soient achevés ou en cours d'exécution. Mais l'habitude qu'il a de les laisser traîner dans l'atelier leur laisse une petite chance d'être un jour repris. Il arrive qu'un fragment inachevé soit réhabilité et soudainement présenté au public.

…

Dans sa famille, il a toujours été admis depuis sa plus tendre enfance que LF deviendrait peintre. Mais ses parents, Ernst et Lucie, étaient animés de sentiments différents sur la question, et LF y était sensible. Que quelqu'un vous dise qu'il faut absolument que vous fassiez quelque chose, remarque-t-il, est toujours très déroutant, aussi c'est avec une certaine satisfaction qu'il accueillait les remarques décourageantes parfois émises par ses parents. Lorsque, à l'âge de seize ans, alors qu'il était en première année à la Center School of Art et qu'il s'était rendu coupable d'une petite bêtise d'adolescent, son père lui déclara qu'il ne méritait pas d'être un artiste.

Il se souvient d'une autre anecdote : « Mon père et moi assistions à une vente où étaient proposés plusieurs dessins de Rodin qu'il aimait bien. Comme je lui demandai pourquoi il n'en achetait pas, il répliqua : "Je ne crois pas que j'apprécierais de posséder quelque chose d'aussi parfait." Voulant devenir peintre, j'ai trouvé sa remarque quelque peu désobligeante. Mais comme ma mère tenait si fort à ce que je devienne un artiste que ça me rendait malade, c'était aussi bien, d'un certain côté, que mon père y soit opposé. S'ils avaient tous deux voulu que je sois peintre, il m'aurait fallu devenir jockey, ce qui était la deuxième carrière que j'avais en tête. »

...

Retrouver les marques à la craie que nous avons tracées le tout premier soir pour indiquer la position de mon fauteuil fait partie du rituel du début de chaque séance. Elles se sont à ce point estompées qu'elles se fondent peu à peu dans les entailles et rainures des lattes du parquet, mais LF les retrouve presque à chaque fois.

Lorsque ce n'est pas le cas, nous ressentons aussitôt un changement dans nos rapports coutumiers. En peinture, la moindre modification d'angle ou de point de vue peut changer considérablement les choses. Poser vous rend hyper-conscient de telles nuances. Cela explique en partie les extensions de cadre que LF a parfois fait ajouter au beau milieu de l'exécution d'un tableau. A mesure que celui-ci a progressé, certaines contraintes sont apparues. Il peut par exemple ressentir le besoin d'un peu plus d'espace autour d'un pied qu'il trouve trop proche du bord de la toile.

LF s'efforce de terminer le grand tableau de David allongé nu sur un lit avec son chien Eli, tableau sur lequel il travaille dans son autre atelier de Holland Park. Il veut le présenter à une exposition de la Wallace Collection qui doit commencer dans à peine un mois. Nous avons discuté de la possibilité que mon portrait soit terminé à temps pour y figurer, mais après y avoir réfléchi, LF déclare être plus préoccupé par l'achèvement du tableau du grand nu et du chien.

« Votre portrait enrichirait l'exposition, mais il n'y ouvrirait pas une nouvelle fenêtre comme l'autre le ferait. » Peut-être cela tient-il au fait que l'autre tableau reprend son thème favori, la réunion de deux créatures – l'une animale, l'autre humaine. Les couples d'amoureux aussi se retrouvent fréquemment dans son travail. Représenter des couples, qu'il s'agisse de deux êtres humains ou d'un être humain et d'un animal, est une façon d'explorer une palette de sentiments que n'abordent pas ses tableaux de personnages seuls. Cela a un lien avec la visite qu'il a effectuée il y a longtemps au musée Toulouse-Lautrec à Albi.

« C'était très intéressant, très excitant. Ce merveilleux sujet des putains assises sur un pouf circulaire, quand vous le regardez, vous réalisez que Toulouse-Lautrec était incapable de représenter un groupe de personnes. Pour moi, le tableau le plus touchant du musée, c'est celui de ces deux filles, deux putains, couchées ensemble dans un lit ; on ne voit que leurs têtes. C'est si émouvant ! Elles ont enfin fini leur travail, et elles se retrouvent là parce qu'elles sont amies. »

Beaucoup des couples peints par LF sont, pour ces mêmes raisons, tout aussi poignants.

...

Je me sens légèrement blessé et déçu par la décision de donner la priorité à l'autre tableau, ce qui est très clairement le signe que je commence à investir une bonne dose d'amour-propre dans la disposition encore inachevée de beige, kaki, rose et gris qui progresse sur la toile. Le tableau s'imprègne peu à peu de ma propre conscience de moi-même. Je veux qu'il soit réussi. Bien entendu, la possibilité Dorian Gray existe aussi : qu'il en arrive à révéler des secrets – vieillissement, laideur, défauts – dont j'imagine à tort ou à raison que je les cache au monde. Je ne me suis par exemple pas fait couper les cheveux depuis que les séances ont commencé – à la fois parce que j'ai été très occupé et parce que je me sens inhibé à l'idée de modifier mon apparence – mais à présent ils atteignent une longueur ridicule. La dernière fois, LF m'a demandé si je pouvais me faire couper l'équivalent d'environ deux semaines de repousse.

Il consacre beaucoup de temps à mes cheveux pendant cette séance. De toute évidence, ils constitueront un élément marquant du tableau. Je ressens secrètement une légère anxiété au sujet des poils qui me poussent dans les oreilles – et qu'habituellement le coiffeur supprime d'un habile coup de tondeuse. A présent, j'ai les oreilles aussi hirsutes que celles de Leonid Brejnev ou de lord Goodman (qui a également posé pour LF). S'il les repère et décide de les faire figurer dans mon portrait, ils y resteront pour l'éternité. Mais d'un autre côté, je peux difficilement lui dire de n'en rien faire.

Cela relève peut-être du contrat implicite entre le peintre et son modèle dont parlait LF, celui qu'il chercherait à enfreindre s'il était couché sur le papier. Dans le cas des personnages posant pour Thomas Gainsborough ou Rembrandt, il existait en réalité un accord réciproque. L'un des clients de Rembrandt avait protesté parce qu'il n'aimait pas la façon dont le peintre avait représenté sa fille. Avec LF – comme avec Alberto Giacometti, Bacon ou Van Gogh –, il n'existe aucun accord de cette sorte, et donc aucun motif de faire appel.

27 février 2004

Cette fois, je me suis fait couper les cheveux. J'ai demandé à mon coiffeur de me faire exactement ce que LF souhaitait : ôter deux semaines de repousse. Auparavant, le haut de mes oreilles était dans l'ombre ; à présent il apparaît en pleine lumière. Je commence à saisir les difficultés liées au fait de représenter dans une image fixe une personne qui change, même très peu, constamment.

Ce soir, de façon tout à fait inattendue, une révélation de type Dorian Gray a surgi du tableau – ou en tout cas du processus pictural. Cela est venu au détour de la conversation : il semble que je sois spécialement sujet aux changements.

« Vous semblez différent chaque jour.

— Plus que les autres ?

— Plus que presque tous les gens que j'ai eu l'occasion de connaître. Les traits eux-mêmes ne changent pas, mais c'est la façon dont vous les portez. »

Cela est probablement dû, hasardé-je, à mes changements d'humeur. « C'est ce que je me suis dit, en effet. »

C'est très étonnant. Au cours de toutes les séances de pose jusqu'à celle d'aujourd'hui, je me voyais comme une sorte d'objet immuable que LF s'employait à cerner peu à peu en procédant tel un arpenteur à une longue série d'observations. Mais désormais, je comprends qu'il s'agit plus de cartographier un nuage, une vague ou quelque objet similaire en changement permanent d'état.

Ce que LF a observé indiquerait chez moi une forte tendance aux changements d'humeur, ce qui est sans doute en effet parfois le cas, même si je croyais jusque-là que les autres ne s'en apercevaient pas. Josephine confirme qu'on a parfois l'impression que je peux changer d'apparence d'un jour à l'autre.

…

A la fin de la séance, je demande à LF s'il lui serait possible de peindre l'arrière-plan – ce qui pour lui est une mauvaise formulation, à laquelle il préfère le terme de « plan » tout court – du tableau sans que je sois présent. « Impossible, pour moi, il est extrêmement important que je puisse voir ce que votre tête modifie dans le tissu de fond. » Je suis assis devant la sombre surface bosselée du fond qu'il a placé derrière moi – et qui n'est pas loin d'équivaloir à un vide visuel. Aussi dans une certaine mesure peint-il l'air autour de moi. En fait, il a peint aujourd'hui une bonne partie de l'arrière-plan – ou plutôt, du plan. « Cela m'aide à comprendre votre tête, et aussi l'autre oreille. »

L'idée selon laquelle le modèle doit être présent pendant que l'artiste peint l'espace vide qui l'entoure peut paraître étonnante, mais on la retrouve depuis très longtemps dans l'histoire de l'art. Le sculpteur italien de la fin du XIXe siècle Medardo Rosso par exemple – un artiste très différent de LF – pensait exactement la même chose. « Dans la nature, écrivait-il à un ami, il n'y a aucune limite, et donc il ne peut y en avoir dans une œuvre d'art. L'art doit rendre l'atmosphère qui entoure les personnages, la couleur qui l'anime. […] Quand je fais un portrait, je ne peux me limiter aux lignes de la tête puisque cette tête appartient à un corps et existe dans un environnement qui l'influence : elle fait partie d'un tout que je ne peux omettre. »

Cela semble être le point de vue de LF. « J'aime que les modèles soient présents dans l'atelier même quand je suis en train de peindre autre chose. On dirait que, comme les saints, ils modifient l'atmosphère par leur seule présence. »

Peindre le vide présente des défis spécifiques. Il y a longtemps, LF s'est rendu à Castres, dans le sud-ouest de la France, uniquement pour y contempler l'un des grands tableaux de Goya, *La Junte des Philippines* (v. 1815 ; musée Goya), qui, pour je ne sais quelle raison, a atterri là. C'est le tableau le plus grand que le peintre ait jamais exécuté, et son sujet, quand on y réfléchit, est d'une extraordinaire banalité : la réunion annuelle d'une compagnie de commerce dont les activités avaient perdu leur rentabilité à la suite des guerres napoléoniennes. Il s'agit donc d'un certain côté d'une image de la futilité. Le tableau montre différents notables et actionnaires, tous l'air profondément ennuyés,

Pluto's Grave (travail en cours), 2003

et le roi d'Espagne. Mais surtout, c'est le tableau d'un espace vide dans une immense salle, ce qui paraît à la fois mystérieux et, par certains côtés, très espagnol.

« J'ai été voir ce tableau et en effet il est la représentation d'absolument rien. A ce moment-là j'effectuais un voyage culturel et Castres était assez éloigné de l'endroit où je me trouvais – peut-être à 100 ou 120 kilomètres – mais je me suis dit qu'il fallait que je voie ce tableau. Castres est un endroit extraordinaire. Quand vous y arrivez, vous vous dites qu'il est impossible qu'un tableau puisse s'y trouver. C'était il y a longtemps, mais je ne pense pas que cela ait beaucoup changé. »

Il y a un an, LF a peint un tableau dont le sujet est presque aussi maigre que celui de Goya. Il représente le coin de son jardin où est enterré son vieux chien Pluto (p. 138 et 140). Comme le Goya, il comporte des éléments reconnaissables – quelques feuilles, la petite planche sur laquelle David Dawson a peint le nom de Pluto – mais le reste n'est composé, pour l'essentiel, que d'espace.

« J'étais très excité par ce tableau parce qu'il ne représentait presque rien, aussi la façon dont la peinture recouvrait la toile n'a jamais été aussi importante. Par rien, je veux dire qu'il n'y a pas d'œil, de museau ni de gueule, en fait on ne voit pratiquement que des feuilles mortes. Puisque je ne pouvais pas les peindre une par une, sinon l'image n'aurait pas du tout fonctionné, elles sont reliées entre elles de façon étrange, et semblent ne rien représenter. Mais d'un autre côté, ça ressemble beaucoup à ce qu'est le jardin. »

...

Le tableau continue de progresser centimètre par centimètre, mais depuis maintenant plusieurs séances il n'a pas connu d'avancée spectaculaire. A présent, la presque totalité de mon menton est apparue. Juste avant que nous allions dîner au restaurant Sally Clarke, LF déclare que la séance est terminée,

Pluto's Grave, 2003

puis se ravise et décide de peindre un minuscule bout de toile vide, plus petit qu'une abeille, sous mon menton. Il explique que s'il ne le faisait pas, cela le tracasserait.

« J'en suis presque au bleu, mais il y a pas mal de choses là en bas [il désigne la zone juste à côté de l'endroit qu'il vient de peindre, ainsi qu'une partie du fond] que j'aimerais terminer d'abord. »

3 mars 2004

Lorsque j'arrive, LF m'offre un verre de bordeaux, un Saint-Emilion Château Cheval Blanc 83. « Cheval Blanc, un nom magnifique pour un vin rouge, n'est-ce pas ? » C'est tout à fait caractéristique de sa part de choisir un vieux bordeaux en raison des résonances hippiques de son appellation. Le vin me met dans un état de bienveillante relaxation pour la séance.

Nous parlons de la question de l'achèvement d'une œuvre. « La chose essentielle dans un tableau est naturellement de bien le finir. » Je remarque que, dans un livre, la fin est le moins important parce qu'à ce stade-là, le lecteur a absorbé la quasi-totalité de ce que l'auteur a voulu dire. Beaucoup de grandes œuvres littéraires, presque tous les romans de Dickens par exemple, se terminent de façon décevante. « Ceux de Kafka en revanche, remarque LF, ont toujours une fin excellente. La fin de *La Métamorphose* est extraordinaire, vous ne trouvez pas ? »

Terminer un tableau est bien entendu une chose très différente que de finir un livre, car on ne lit pas un tableau page par page sur une certaine durée, on le découvre tout entier au même instant. Le point auquel le laissera – le terminera – le peintre est ce que le spectateur verra, dès la première fois et à tout jamais.

Déclarer qu'un tableau est terminé est une affaire beaucoup plus délicate que lorsqu'on peint une porte, disons, ou que l'on fabrique une chaise, car il n'existe aucune norme définissant en quoi consiste son achèvement. Il fut un temps où « terminé » signifiait

« suffisamment détaillé », et des peintres tels que Gainsborough ou Constable furent critiqués pour avoir exposé des tableaux « inachevés ». Aujourd'hui, cependant, « terminé » signifie quelque chose comme « complet en tant qu'œuvre d'art au regard de ses propres lois internes », et c'est précisément ce qu'il est extrêmement délicat de déterminer. Le critère de LF – « Je commence à me dire qu'un tableau est achevé quand j'ai la sensation de peindre le tableau d'un autre » – est assez vague, même si l'on perçoit ce qu'il entend par là. Je lui demande s'il est satisfait ou désolé qu'un tableau soit terminé, puisque pour lui aussi, cela doit bien signifier la fin d'une période de sa vie. « Ni l'un ni l'autre, il me semble. Ma seule préoccupation est de savoir s'il est vraiment terminé. »

En réalité, il hésite souvent avant de décréter qu'il en a fini avec un tableau. Son achèvement sera annoncé, puis reporté, souvent pendant plusieurs semaines. Le moment de s'arrêter peut sembler proche, puis soudain s'éloigner. L'année dernière, LF m'a raconté au téléphone comment cela s'était passé pour le tableau représentant la tombe de Pluto (p. 140).

« Je n'ai fini le tableau qu'aujourd'hui. Je n'en finissais plus. Il me plaisait beaucoup, mais j'ai cru que je pourrais l'améliorer et en fait il devenait de plus en plus mauvais. Alors j'ai continué à le travailler pendant un bon moment et à présent je trouve qu'il est bien meilleur qu'avant. »

Pour ce qui est de mon portrait, on est encore loin du moment où LF pourrait commencer à se demander s'il est achevé. Ce moment est encore « assez éloigné ». Ce soir, conclut-il, « j'ai bien avancé d'une façon, disons, globale ». Il me montre certains endroits qu'il a précisés ou renforcés – sur le front, sous la bouche. A la fin de la séance, une ombre est apparue sous mon menton. « Je découvre sans arrêt de nouvelles possibilités et de nouvelles façons d'animer un peu plus les traits. » La mutabilité de mon apparence, qu'il a évoquée la dernière fois, lui complique d'une certaine façon les choses, mais il essaie de trouver le moyen de s'en servir.

David Hockney et Lucian Freud, 2003

David Hockney, 2003

Je lui demande si mon portrait est lié à celui de David Hockney, puisque les deux se ressemblent du point de vue du format et de l'angle de vue (p. 144). Ce tableau est désormais exposé à la National Portrait Gallery, en même temps qu'une sélection de photographies de David Dawson (p. 143). « Non, le vôtre a toujours été lié dans mon esprit au tableau de l'arrière-train de la jument pie, que j'ai terminé à peu près au moment où je commençais le vôtre. Ce tableau m'a beaucoup appris sur la façon de peindre plus librement, et j'essaie d'appliquer ces leçons à votre portrait. » Bien entendu, il n'y a rien de déshonorant, du point de vue du modèle, à ce que son portrait soit esthétiquement lié à l'arrière-train d'un cheval – qui est, après tout, quelque chose de noble. Du moins je l'imagine.

Il existe une pollinisation croisée permanente entre les tableaux de LF ; celui-ci explique également qu'il essaie d'utiliser pour mon portrait des choses qu'il a découvertes en peignant le petit autoportrait sur lequel il travaille depuis quelque temps. Celui-ci est brusquement sur le point d'être terminé. A la dernière minute, il y a ajouté une main sur laquelle s'appuie la tête, comme sur une tombe jacobéenne. « J'ai dû la faire de mémoire, parce que c'est celle avec laquelle je peins. »

. . .

Même sur le court terme, la peinture est toujours une affaire de mémoire. LF m'examine attentivement, prend une mesure ou deux, puis se tourne vers la toile et applique un coup de pinceau – à moins que, au tout dernier moment, il s'interrompe, réfléchisse et m'observe à nouveau. Parfois il efface ce qu'il vient de faire avec un chiffon. Il y a un intervalle, même court, entre l'observation et l'application de la peinture, puis à nouveau un temps de réflexion.

Au cours de ce processus, la vision originale est passée par les yeux de LF, puis par son système nerveux et son cerveau, avant d'être comparée à toutes les autres observations qu'il a faites. Ce processus se répète des centaines, et même des milliers de fois. C'est pourquoi une image peinte, en tout cas une image peinte par LF, est différente par nature d'une image instantanée telle qu'une photographie. David Hockney le formule ainsi : le portrait de lui qu'a fait LF est le résultat de la « sédimentation » de plus d'une centaine d'heures, qui condensent elles-mêmes d'innombrables réflexions et sensations visuelles.

...

Poser équivaut à se transformer en un sujet – ou plutôt un objet – totalement passif qui ne bouge pas, qui souvent ne parle pas, qui ne fait que regarder tandis qu'on l'observe avec la plus extrême attention. Pourtant, LF déclare : « J'ai l'impression que vous m'aidez beaucoup. »

De fait, je continue à beaucoup m'intéresser à tout le processus et, par conséquent, je reste en éveil et ne sombre que rarement dans l'ennui. Mais mon impatience naturelle continue à s'agiter sous la surface. Je veux que le tableau avance, je veux qu'il s'achève. J'espère toujours que LF va attaquer un nouvel élément – le menton, l'écharpe, la veste. La vérité, toutefois, est que je n'ai pas la moindre idée du temps que cela va encore prendre, ni en quoi consistera l'« achèvement » du portrait.

LF n'a pas l'air pressé le moins du monde. Pendant le dîner, il m'annonce à mon grand découragement que le tableau est loin d'être fini. Mais il précise aussitôt qu'en réalité il n'a aucun moyen de le savoir. Ayant décidé d'avancer le tableau de David Dawson et d'Eli le chien, il annule la séance de vendredi prochain. J'en suis soulagé ; le titre d'un des livres de son grand-père me revient à l'esprit : *Analyse terminée et analyse interminable*. Poser pour LF peut s'avérer interminable. Mais en même temps, je suis déçu par l'annulation de la séance.

9 mars 2004

I nvité à déjeuner avec LF au Sally Clarke. Nous avons décidé de ne pas reprendre les séances avant que LF ait terminé le tableau de David et Eli. Tout en mangeant son potage et ses champignons grillés (j'ai pris du flétan), il déclare que dans la grande rivalité artistique du XXᵉ siècle entre Matisse et Picasso, il a décidé que Matisse l'emportait haut la main. Et cela parce que, à son avis, Matisse est avant tout préoccupé par « la vie des formes – ce qui est au fond l'essence même de l'art », alors que Picasso – même si LF admire et apprécie grandement son art – cherche surtout à « stupéfier, étonner et surprendre ».

LF éprouve de l'aversion pour les tableaux qui cherchent à étonner le spectateur. Et Picasso, estime-t-il, n'est pas seulement coupable de cela, il fait également preuve de malhonnêteté émotionnelle. « J'ai toujours trouvé que la période bleue ne comportait aucune œuvre de grande qualité. Les tableaux suintent les faux sentiments. » Pour LF, la qualité en art est inextricablement liée à l'honnêteté émotionnelle et à la sincérité.

Lorsqu'il parle de Picasso, qu'il a un peu connu, il est évident qu'à ses yeux les bizarreries psychologiques et même le physique de l'artiste ont un rapport direct avec son travail.

« Picasso était un formidable magicien. Quand vous sortiez de chez lui, vous leviez instinctivement les yeux vers les fenêtres. Il connaissait bien ce réflexe parce qu'un jour, alors que, selon notre habitude, nous levions les yeux, nous le vîmes derrière la vitre, en train de faire des oiseaux en ombre chinoise sur les persiennes.

« Un jour il me demanda si je voulais une cigarette, et se pencha vers une imposante console en marbre qui se trouvait dans le couloir, une chose qui n'avait rien d'inhabituel à cette époque dans les intérieurs parisiens. Dessus était posé un gong africain en métal tout cabossé, qu'il souleva d'un geste théâtral pour révéler le paquet de cigarettes qu'il dissimulait.

Self Portrait, Reflection, 2004

« Quand j'emmenais Caroline chez lui, il lui peignait sur les ongles – qui étaient très courts, parce qu'elle se les rongeait – de minuscules visages et des soleils. Elle les gardait le plus longtemps possible mais ils finissaient toujours pas s'effacer. Elle resta un jour seule avec lui dans l'appartement pendant environ une demi-heure. Quand je lui demandai ensuite ce qui s'était passé, elle me répondit qu'elle ne pourrait jamais me le dire.

« Je ne le lui ai donc jamais demandé.

« Picasso était un homme de très petite taille, mais tellement bien proportionné qu'on n'y faisait pas attention. En fait, il ne mesurait pas plus de 1 m 50 ou 1 m 55.

« Je me souviens l'avoir entendu parler de Londres où il avait séjourné après la Première Guerre mondiale, en 1919. Il se plaignait de ce qu'à Londres, les pantalons des hommes montaient jusque-là, en indiquant son menton, ce qui devait d'ailleurs être exact, ou peu s'en faut. J'ai senti à quel point son attitude envers la vie dépendait du fait qu'il fût si petit. Quand il parlait d'une femme, par exemple, il mentionnait souvent sa grande taille. »

Cela pourrait bien éclairer un des aspects de l'œuvre de Picasso : les nus féminins un rien menaçants, par exemple, ou les géantes nues – énormes et désirables.

« Même si cela ne me gênait pas outre mesure, il était très malveillant, extrêmement venimeux. Je lui demandai un jour ce qu'il aimait chez une amie que nous avions en commun. "Le fait que je puisse la faire pleurer quand je veux", répondit-il. » Ce sadisme me fait songer au tableau de Dora Maar en train de pleurer, aujourd'hui exposé à la Tate, un magnifique tableau que LF eut en 1942 tout loisir d'admirer pendant un long trajet en train jusqu'à Brighton, où il devait le transporter pour une exposition, ne cessant durant tout le voyage de s'émerveiller devant sa puissance que ne diminuait en rien la vive clarté du soleil.

…

David and Eli, 2003–2004

Après le déjeuner, nous retournons à l'atelier, où LF me montre le petit autoportrait qu'il vient de terminer (p. 148).

7 avril 2004

L es séances reprennent. Entre-temps, je suis parti en vacances à Naples, et LF, au prix d'un intense effort de concentration, a fini le tableau *David and Eli* (p. 150) à 5 heures du matin le jour même du vernissage de l'exposition à la Wallace Collection. Maintenant que l'exposition est ouverte, il est un peu plus détendu, même si l'absence de pression est pour lui un sujet de préoccupation.

« C'est un soulagement de revenir à votre portrait, déclare-t-il au début de la séance. Quand j'ai terminé celui de David et son chien sur le lit, je me suis aperçu que plusieurs tableaux que j'avais commencés à des moments différents s'achevaient en même temps, ce qui arrive parfois. Je me suis dit qu'il me restait peut-être juste assez de temps pour les terminer, et qu'ensuite tout serait fini. Du coup je me suis mis à chercher frénétiquement d'autres choses à commencer. »

Le travail et la vie de LF sont si intimement liés qu'il pense de manière superstitieuse que si l'un se termine, l'autre prendra également fin. Il ne se passe guère de moment dans ses journées qui ne soit directement en rapport avec ses tableaux. Même lorsqu'il se repose l'après-midi – généralement entre la fin de la séance de pose, aux alentours de 16 heures, et l'arrivée du modèle du soir après 18 heures –, il réfléchit à des formes et à des couleurs, et à la façon dont elles pourraient fonctionner.

...

LF ne voyage que très rarement désormais. « Peut-être que je n'ai pas envie d'aller où que ce soit parce que même si je suis arrivé ici à l'âge de dix ans, j'ai toujours l'impression d'être en visite dans l'endroit le plus excitant et le plus romantique que je puisse imaginer. Chaque fois que j'envisage de partir en voyage, je me dis que c'est de la folie dans la mesure où il reste des quartiers de Londres que je ne connais toujours pas. » Mais sa réticence à quitter la ville où il vit provient également du fait que c'est aussi là qu'est son travail. Son tempérament à la Haroun al-Rashid l'incite à considérer Londres comme sa ville, pleine de sujets potentiels.

Dans sa jeunesse, raconte-t-il, il se sentait autorisé à faire des pauses, en se disant : « Avec mon énergie, je rattraperai facilement le temps perdu. »

Mais plus il vieillit, plus il est talonné par le besoin de poursuivre son travail. « J'ai toujours eu envie de travailler, mais quand j'étais jeune, je me disais que je ne voulais pas devenir une machine. Mais aujourd'hui [il prend un air sombre], il va peut-être me falloir en devenir une. »

Puis, après un instant de silence, il reprend : « Vous ai-je raconté que j'avais fait de la figuration au cinéma ? Je crois bien que c'est la seule et unique fois où j'ai effectué des journées de travail à peu près normales. » Comme la chose m'intrigue, je le prie de poursuivre. « J'ai joué dans quelques films, dont l'un en 1942 avec George Formby, intitulé, je crois, *Much Too Shy*. Il y avait une scène dans une école d'art dans laquelle George Formby était censé courir après le modèle, qui était nu – ou du moins ce qui passait pour nu à l'époque, c'est-à-dire en culotte et soutien-gorge.

« Moi je devais peindre devant un chevalet. Le réalisateur est venu me trouver et m'a dit : "Vous ne savez pas comment vous y prendre, n'est-ce pas ? Je vais vous montrer comment on peint." Sur quoi il saisit les pinceaux et la palette. Comme je suis gaucher, je tenais la palette de la main droite et le pinceau de l'autre. Et il me montre comment peindre [théâtral, LF rejette la tête en arrière, regarde fixement vers un modèle imaginaire puis fait mine de peindre avec de grands gestes inspirés] et m'assène : "Voilà comment on fait !" C'était très drôle. »

…

Quand je le regarde pendant une pause, le portrait semble dégager une double expression. Il y a un demi-sourire, mais aussi, coexistant avec lui, une légère anxiété. « L'avantage de procéder avec lenteur, commente LF, est que cela me permet de rendre simultanément plusieurs humeurs, même si Dieu sait que je n'y parviens pas toujours. Parfois, le sourire est là. Mais aujourd'hui, vous sembliez très nerveux. »

…

Pendant le dîner, nous parlons du photographe français Jacques-Henri Lartigue, dont je viens tout juste d'interviewer le fils, Dany, dans le sud de la France. « Je trouve qu'il était merveilleux. Personne n'a photographié le plaisir comme il a su le faire.

« Je me souviens avoir dit un jour à peu près la même chose à Francis Bacon, que Lartigue était capable de saisir l'essence du bonheur, ce à quoi Francis avait répliqué : "L'essence de la stupidité, plutôt." » Les bras croisés sur la poitrine, LF est secoué de rire au souvenir de cette anecdote.

Au vu de leur œuvre, rares sont ceux qui associeraient joie de vivre avec LF – et encore moins avec Francis Bacon. Pourtant, Bacon est connu pour l'avoir incarnée dans la vie quotidienne, et la compagnie de LF est tonique en raison de la verve avec laquelle il appréhende l'existence et de la sagacité avec laquelle il l'observe. En fait, cela transparaissait déjà dans ses premiers dessins et reste présent dans ses œuvres actuelles, même si c'est souvent profondément enfoui sous la surface.

Il s'est amusé récemment de l'article d'un critique qui louait son travail mais ajoutait que ses tableaux étaient terriblement tristes. « Pourtant je trouve que tout tableau vraiment bon ne peut être triste. La tristesse, c'est quand on dit : "Oh mon Dieu, mon Dieu, quel dommage !" C'est un sentiment déprimant. Les bons tableaux, en revanche, sont trop vigoureux et vous font penser à trop de choses différentes pour pouvoir vous déprimer. »

...

En dépit du fait qu'il ait plus de quatre-vingts ans et qu'il se soit attelé à une routine de travail permanent, la façon dont LF aborde la vie est avant tout celle d'un jeune homme. Il me raconte une conversation qu'il a eue il y a quelques années avec un modèle.

« Quand je lui ai raconté ma vie et ce que je faisais, il m'a dit : "Vous vous comportez comme un adolescent !" En fait l'âge n'est qu'un tour que vous joue le temps, il ne vous impose pas une façon d'agir. Je crois que je ne fixe aucune limite à mon comportement. J'obéis à mes émotions. Alors je lui ai dit : "Je sais que vous êtes marié et tout ça, mais je suis sûr que de temps à autre, vous vous sentez attiré par d'autres femmes, non ? Comment vous sentez-vous alors ? — Comme un débauché", m'a-t-il répondu. J'ai trouvé ça excellent. »

14 avril 2004

Lors de la toute première séance qui suivit notre interruption, LF a déclaré : « L'écharpe bleue représente un défi pour moi, en ce sens qu'il faut l'harmoniser avec les autres couleurs. » Aujourd'hui elle a enfin fait son entrée : deux bandes bleues.

C'est une surprise pour moi de découvrir cette couleur dans la palette après tous ces mois de fauve, de gris et de beige.

Regarder seul mon portrait durant une pause me donne l'impression d'être Dorian Gray, mais à l'envers. Je veux dire par

là que le tableau semble parfois beaucoup plus énergique et vigoureux que je ne me sens moi-même. Je le dis à LF lorsqu'il revient.
« Cela ne me surprend pas que vous vous sentiez ainsi de temps
à autre car votre humeur et votre moral me font l'impression de
varier beaucoup, même si vous restez toujours alerte. »

…

Nous parlons de l'exposition Gwen et Augustus John qui doit se
tenir à la Tate cet automne. LF a bien connu Augustus John
autrefois, alors que celui-ci était déjà âgé et LF encore tout jeune.

« Je lui ai rendu visite dans sa maison en France, d'où il sortait
parfois pour aller à son atelier dans le jardin. C'est alors qu'on
entendait des… [là, LF se met à émettre des cris et des gronde-
ment furieux et, d'une voix semblable à celle d'un acteur shakes-
pearien comme Donald Wolfit, s'exclame : "Oh my God !"] Et
quand vous découvriez les tableaux, vous compreniez les raisons
de son désespoir. Il s'était arrêté trop longtemps de peindre. »

Ce fut donc pour LF, qui venait d'entamer sa vie d'artiste, une
mise en garde contre l'interruption du travail. LF, qui est à présent plus âgé que ne l'était alors John, poursuit sans relâche son
œuvre. Il appréciait plus Augustus John comme personnalité – il
aurait d'ailleurs fait un excellent modèle pour LF – que comme
peintre.

« Il avait un sens formidable du style dans sa façon de
s'habiller et dans son attitude. Je me souviens d'un jour où nous
revenions à son atelier de Tite Street après avoir déjeuné ensemble. Il se mit à pleuvoir. Se carrant dans une entrée d'immeuble, il me dit : "Nous abriterons-nous des gouttes ?" J'ai
trouvé que c'était une phrase d'une autre époque. »

« Je devais l'emmener un jour de la campagne à Londres en
voiture, et Dodo [Dorelia], sa femme – que je trouvais absolument splendide –, me donna un conseil. "Il aime bien boire, vous
savez, aussi vous devrez peut-être vous arrêter dans un pub ou

deux." John aimait certainement boire un verre, mais je ne l'ai jamais vu ivre. Au premier pub, le barman m'a demandé si « mon père » en reprendrait un autre, ce qui a mis John en rage. Plus tard, alors que je venais de lui proposer un nouvel arrêt pour boire, il répliqua d'un air furieux : "On n'est pas obligés de s'arrêter à chaque foutu pub, vous savez !" Il pouvait se mettre très vite dans une colère épouvantable, et puis, tout aussi rapidement, cela lui passait. »

LF avait en revanche la plus grande affection pour Gwen John, la sœur d'Augustus. « Je trouvais qu'elle était cette chose très rare qu'est un grand peintre. » Le propre travail de LF est beaucoup plus proche du calme et de la méticulosité de la peinture de Gwen John – avec son côté concentration intérieure – que du clinquant de celle de son frère Augustus.

LF me fait part d'une idée extrêmement surprenante sur le frère et la sœur. « Je crois qu'il est évident d'après leurs lettres, et la façon dont Gwen parlait de lui, que c'est avec elle qu'Augustus a eu sa première liaison. On constate un changement tellement soudain entre le moment où il est terrifié par les femmes et celui où il affiche une confiance excessive à leur égard qu'on ne peut s'empêcher de penser à l'inceste. » Que cela soit vrai ou non – et, à ce que je sache, aucune preuve directe ne subsiste –, c'est là un exemple de la façon approfondie dont LF réfléchit aux gens, et des conclusions étonnantes auxquelles il peut parvenir.

« Je peux déjà imaginer ce tableau terminé, lui fis-je remarquer à la fin de la séance. — Vraiment ? rétorque LF. Pas moi. »

16 avril 2004

J'arrive avec ma fille de quatorze ans, Cecily. Je sonne à la porte et ce n'est que plusieurs minutes plus tard que LF nous ouvre. A voir comment ses cheveux sont dressés sur sa tête on dirait qu'il a mis le doigt dans une prise de courant.

« Comment allez-vous ? — Je reviens de chez mon ostéopathe crânien et j'ai l'impression d'être dingue. » Cecily s'installe à la table du salon pour faire ses devoirs tandis que LF et moi montons à l'atelier.

Un nouveau modèle nu a commencé à poser le soir, une employée de l'entreprise de transport d'œuvres artistiques Momart – ce qui explique comment LF l'a rencontrée. Elle s'appelle Verity Brown et pose les jours où je ne viens pas. Comme il le fait souvent avec ses nus, LF a commencé le tableau par le visage, qui apparaît sur une grande toile autrement vierge, à part une vague esquisse au fusain. Pour LF, c'est la phase où peintre et modèle « font connaissance ». « En tant que portraitiste, explique-t-il, j'étais en quelque sorte un peintre de nu frustré. Plus tard, j'ai traité la tête comme si c'était simplement un autre membre. Quand j'ai commencé à travailler sur Leigh Bowery (p. 158), j'ai peint sa tête en premier afin de mieux le connaître. Plus tard, et à plusieurs reprises ensuite, j'ai retouché la tête après avoir terminé le reste du tableau. » Mais cela n'arrive que lorsqu'il connaît très bien le modèle.

...

Après la séance, nous allons dîner. LF trouve un sujet de conversation à même de nous intéresser tous les deux, Cecily et moi. Il raconte le voyage en bateau qu'il a effectué en 1947 pour se rendre sur une île grecque : « Il y avait quatre classes, et aussi la "sans couchette ni pain" que je choisis. La traversée ne durait que trois jours ; les hommes d'équipage me donnaient à manger. Le mot grec signifiant "étranger" est le même que celui désignant l'hôte – ce qui est très élégant, vous ne trouvez pas ? On m'offrait des tas de choses. "Prenez ce mouton !" Mais c'était embarrassant parce que je logeais dans une petite pièce. Impossible d'y garder un mouton vivant. »

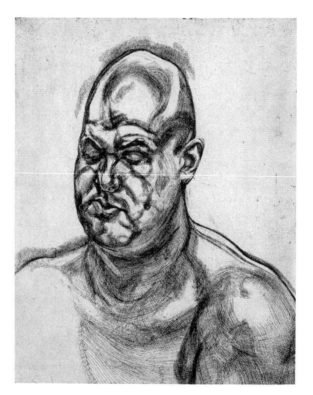

Large Head, 1993

LF peint magnifiquement les enfants et les jeunes gens. Il y parvient en les prenant très au sérieux en tant qu'individus. En vérité, il est tout autant fasciné par ses jeunes modèles que par les adultes. Voici par exemple comment il évoque une fillette ayant posé récemment pour lui : « Elle est intéressante et assez curieuse. Vous savez, ce genre de personnes qui n'arrêtent pas de parler et que vous ne pouvez vous empêcher d'écouter ? Vous voyez ce que je veux dire ? Elles parlent et parlent et parlent et savent très bien de quoi elles parlent. Elle disait des choses justes et aussi des choses raisonnables et au bout d'un moment j'ai réalisé qu'elle ne faisait en réalité que formuler sa pensée au fur et à mesure qu'elle lui venait. Même quand elle racontait ses rêves, ils étaient si compliqués, avec des tas de personnages faisant des tas de choses si différentes, que je me demandais si elle avait vraiment pu rêver tout ça. Et puis je me suis dit que si, elle avait bien dû le rêver, parce que tout était extrêmement précis, subtil et détaillé, et qu'il n'y avait aucune exagération. »

19 avril 2004

L e moment est venu de s'attaquer à l'écharpe bleue, semble-t-il, mais quelque chose ne va pas. LF se livre à trois ou quatre tentatives pour obtenir un bleu roi, mais à chaque fois quelque chose semble clocher lorsqu'il s'apprête à l'appliquer sur la toile. Le pinceau reste en suspens, ou alors LF appose une ou deux touches, recule d'un pas, penche la tête et marmonne : « Non, ce n'est pas ça, ce n'est pas ça du tout. » Il sort un chiffon de sa poche et efface ce qu'il vient de faire, puis reprend toute l'opération en commençant par examiner à nouveau l'écharpe, son regard posé sur mon cou et le haut de mon buste.

« J'ai essayé plusieurs teintes pour l'écharpe mais je n'arrive pas à la retrouver. Je me suis d'abord demandé si elle n'était pas en réalité d'une couleur différente, jusqu'à ce que je réalise qu'en

Armchair by the Fireplace, 1997

fait c'était moi qui était différent. Alors je suis parti sur autre chose, et ça a fonctionné. » Il s'est en effet employé à peindre une partie de l'arrière-plan – enfin, du plan – en mélangeant une série de sombres gris verdâtres et en les appliquant méthodiquement.

Pendant une pause, j'examine les deux traits bleus que LF a tracés lors d'une séance précédente et que je considérais comme des sortes de repères ou de déclarations d'intention. Je constate que l'écharpe que je porte est d'un bleu nettement plus foncé, mais après tout, me dis-je, c'est un tableau.

En rentrant chez moi, je parle à Josephine des difficultés que rencontre LF pour obtenir la bonne teinte. « Laquelle portais-tu ? » me demande-t-elle.

Il semble que j'aie en réalité deux écharpes bleu roi – ce que je n'avais pas réalisé. Quand nous les sortons pour les examiner, je constate quelque chose que je n'avais jamais remarqué – que l'une, même si la différence est très légère, est à peu près d'un demi-ton plus sombre que l'autre. Il est évident que lors de la dernière séance, je portais la plus claire, celle que LF n'a pas l'habitude de voir.

Cette expérience fortuite semble confirmer l'extrême précision de son sens de la tonalité et de la couleur, et le degré auquel tout le tableau forme une harmonie soigneusement pesée. LF, sans pouvoir l'expliquer, a senti cette différence comme certains chefs d'orchestre sont capables de remarquer la fausse note d'un bois parmi tous les autres instruments. Je décide de ne pas mentionner cette confusion pour l'instant.

...

LF attend un mystérieux visiteur pour 19 heures. A l'heure dite, la sonnette retentit. Le visiteur, m'a-t-il dit, est accompagné d'Andrew Parker Bowles. « Oh, David les fera entrer et monter. Je veux qu'ils sachent que je suis en train de travailler. » Qui donc est autorisé ainsi à interrompre une séance, même si on lui fait

Lucian Freud et Andrew Parker Bowles, 2003

bien comprendre qu'il perturbe ainsi le travail de LF ? Et qui peut bien venir accompagné d'Andrew Parker Bowles ? Peut-être quelqu'un de la famille royale, mais je ne le saurai jamais.

David monte, suivi de son chien Eli, et bavarde avec moi et Andrew Parker Bowles. Nous échangeons des impressions sur nos séances de pose respectives. Je fais remarquer que l'autre fauteuil (p. 160), dans lequel Andrew Parker Bowles a posé, semble plus confortable que le mien.

« Oh, ce truc ! L'ennui, c'est qu'on s'y endort. Je m'assoupissais et ça me faisait ressortir l'estomac. »

Il se tourne vers David : « J'étais justement en train de dire à Lucian que mon estomac ne ressemblait pas à ça quand vous êtes arrivé et que vous avez pris votre photo [p. 162], apportant la preuve qu'en fait il était bien tel qu'on le voit sur le tableau [p. 165]. »

Il commente poliment mon portrait. « Oh, c'est vraiment très bon ! C'est superbe ! » Et me gratifie d'un conseil : « Si j'étais à votre place, j'essaierais de faire en sorte qu'il ne le modifie pas trop. » C'est bien entendu une plaisanterie qui nous fait tous trois sourire, tellement cette éventualité semble impossible. « Ce qu'il a de magique, c'est que vous y avez un demi-sourire. »

Je déclare à Andrew Parker Bowles que le sourire était peut-être là au moment où la bouche a été peinte. « Vous voulez plutôt dire trois semaines avant », me répond-il.

Absurdement, je me sens flatté de l'entendre louer mon portrait, et, ému, je lui dis quelque chose de gentil à propos du sien (qui est en effet magnifique). On voit un peu le tableau comme une extension de soi-même, ce qui d'ailleurs, dans une certaine mesure, est exact.

Pourtant, être le modèle d'un portrait en pied a ses inconvénients. « Jamais plus ! » s'exclame Parker Bowles à propos de ses quasiment deux années de pose. « Un simple portrait comme celui-là, c'est beaucoup mieux. » Nous comparons la durée du processus de pose. Je mentionne qu'à un certain moment, LF a voulu réduire la taille de ma tête. « C'est quand il commence à ajouter des trucs que vous devez être sur vos gardes. »

27 avril 2004

J'arrive alors qu'éclate une violente averse, sonne plusieurs fois à la porte et m'apprête à courir m'abriter quelque part quand LF ouvre enfin, en s'excusant d'être aussi dur d'oreille. La pluie a rafraîchi l'atmosphère, ce qui est bienvenu après la période de soleil et de grande chaleur que nous connaissons depuis quelque temps, et aussi parce que pour les poses, je porte ce qui est en fait une tenue hivernale : veste en tweed et pantalon de velours. Nous commençons tard, après avoir bavardé autour d'un verre de rosé pour moi et d'une tasse de thé vert pour LF.

Nous prenons un peu plus de retard en voulant installer le chevalet, LF ayant essayé de desserrer la vis papillon avec un marteau, mais en tapant dans le mauvais sens, ce qui n'a fait que la bloquer un peu plus. Peu après avoir commencé à travailler, LF veut retendre la toile, car il a l'impression qu'elle se relâche en raison de l'humidité ambiante, en insérant des coins aux angles, qu'il enfonce, là encore, à coups de marteau. « J'aime que ce soit bien tendu, parce que si la toile s'enfonce sous mon pinceau, j'ai l'impression que ça gâche ma sensation de peindre quelque chose de réel. Je me dis : "Mince, je ne suis qu'en train de peindre un tableau !" J'ai vu un jour Bill Coldstream au travail et j'ai été très surpris de voir que sa toile faisait de larges plis sur les bords. »

De toute évidence, peindre est une activité physique au même titre que jouer du piano ou du violon. C'est une histoire de doigté, ainsi que de goûts personnels sur des questions telles que la fermeté de la toile, sa texture, les différentes sortes de pinceaux, etc. Bien entendu, le résultat que l'on vise affecte également ces différents choix. La transformation du style de LF

The Brigadier, 2003–2004

Lucian Freud, 2005

dans les années 1950, lorsqu'il passa du trait fin au trait large, se traduisit par une modification du choix de ses pinceaux : alors qu'il utilisait jusqu'alors des pinceaux en poil de martre, il leur préféra ceux en poil de sanglier. Gowing a décrit la différence : la peinture « est étendue sur la surface à l'aide d'un pinceau en poil de sanglier qui donne un tracé beaucoup plus nerveux que celui du souple poil de martre, lequel rendait jusque-là les formes avec une obéissance littérale ».

...

Ce soir il règne une certaine activité, avec de longs moments d'observation, le regard de LF allant de la toile vers moi-même, et vice-versa. Il cherche les pinceaux adéquats parmi les quantités posées sur les empilements de tubes de peinture, telles les tuyaux des plumes de quelque oiseau gigantesque (auquel, d'une certaine manière, LF ressemble). A la fin, je ne constate pas beaucoup de changements, sauf une grande ombre rouge-brun qui a fait son apparition sur le côté gauche. Mais dans l'ensemble, d'après LF, « les choses se précisent ». Et en effet il semble bien que s'amorce un lent processus de mise au point de l'image finale.

Poser est un plaisir, une épreuve, mais aussi une inquiétude. A présent, Dieu merci, il a l'air satisfait du portrait. Je lui dis qu'il me paraît assez puissant, et il semble en convenir, même s'il s'abstient de le formuler. « Je trouve que je ne suis pas encore arrivé à bien rendre la façon dont les muscles s'articulent à ce niveau-là [il désigne la zone à droite de ma bouche]. C'est encore un peu faible. Mais si je pense à cela, c'est sans doute que le reste est a peu près en place. »

...

Il y a en fait tout un réseau complexe de muscles autour de la bouche d'un être humain, parmi lesquels l'orbicularis oris, qui nous permet, entre autres fonctions utiles, d'embrasser. Il y a aussi le risorius, qui étire horizontalement les lèvres, et le muscle dépresseur, l'anguli oris, qui abaisse les coins de la bouche. Comme je l'ai appris en lisant *The Face*, on dénombre en tout vingt-deux muscles de chaque côté du visage, soit plus que chez n'importe quel autre animal.

Ces muscles sont identiques à ceux du reste de l'organisme – ce qui tendrait à confirmer le sentiment de LF selon lequel il pourrait traiter la tête « comme un membre en soi » – mais en même temps ils en diffèrent par plusieurs aspects. « Comme la plupart des autres muscles, ils sont fixés aux os, explique McNeill, mais à la différence de la plupart, ils sont rattachés à la peau. C'est ce qui rend la peau du visage mobile, contrairement par exemple à la peau du dos ou des jambes, et lui permet de réagir instantanément aux impulsions du cerveau. »

Il en résulte une palette d'expressions unique propre à l'Homo Sapiens, tout à fait étonnante dans sa diversité. Les estimations sur le nombre exact des expressions possibles – presque toutes ayant une signification émotionnelle – varient considérablement, mais sont toutes impressionnantes. McNeill signale qu'une étude portant sur des patients en psychiatrie en a dénombré 6 000 au total, tandis qu'une autre, menée par un artiste néerlandais à l'aide de stimulations électriques des muscles faciaux, en a identifié 4 096 en une demi-heure. Une troisième étude avance un total de 10 000 expressions différentes.

Suggérer cette extraordinaire souplesse constitue un défi et explique en partie la fascination exercée par l'art du portrait. La sélection opérée par le peintre doit en outre être caractéristique du modèle. L'acteur du XVIIIe siècle David Garrick pouvait semble-t-il exprimer rapidement neuf émotions différentes : joie, sérénité, surprise, stupéfaction, tristesse, abattement, peur, horreur, désespoir et à nouveau la joie. Or cette facilité dans la mimique expressive faisait de Garrick, tout comme de son contemporain le comédien et auteur Samuel Foote, un modèle impossible pour un portrait. C'était en tout cas l'avis de Gainsborough : « Au diable ces deux coquins. Ils ont le visage de n'importe qui sauf d'eux-mêmes. »

Bien que la diversité des modèles de LF soit vaste, il n'a peint que peu de portraits d'acteur, sinon aucun. C'est avec des mannequins de mode qu'il s'est le plus rapproché de cette catégorie.

...

Les muscles, qu'ils soient faciaux ou non, suscitent un intérêt inépuisable chez LF du fait qu'ils participent de ce « monde des formes » en quoi, selon lui, l'art consiste. Cela transparaît dans son opinion sur Michel-Ange. Alors que je le mentionne, LF rétorque : « En tant que peintre, je pense aussitôt à ses magnifiques muscles abdominaux. On pourrait les regarder pendant des heures. Mais je préfère ses dessins et sculptures. Quand j'ai visité la Chapelle Sixtine, je m'attendais à être bouleversé. En fait, je n'ai découvert au-dessus de ma tête que la plus belle décoration que j'aie jamais vue. Et même si je n'ai jamais eu l'occasion de m'approcher du plafond, je ne pense pas que ce soit une peinture très intéressante. »

Il est difficile d'imaginer que LF, face à quelque fresque que ce soit – une technique plane et rapidement exécutée –, puisse être aussi impressionné que par la peinture à l'huile, la peinture qu'il pratique, et ses empâtements, traînées, touches et coulures. Seule cette subtile gamme de rendus peut donner une idée de l'écheveau complexe de muscles élastiques, d'os et de peau dont le visage humain est composé.

Il n'est guère surprenant dans ces conditions que le décor baroque entourant l'un des premiers chefs-d'œuvre de Michel-Ange, la *Pietà* (1499) de la basilique Saint-Pierre, ne soit pas du goût de LF. Marbre et dorures ne sont guère susceptibles de plaire à un peintre plus sensible au bois nu et aux filles non maquillées. En revanche, LF a aimé la sculpture dénudée du Christ mort dans les bras de la Madone : deux personnes, là encore, ensemble. « La basilique elle-même ressemble à la brocante la plus luxueuse du monde, noyée dans une horrible odeur d'encens. Mais au milieu de tout ce bazar, il y a cette belle chose pleine d'émotion. »

29 avril 2004

Jake Auerbach et William Feaver ont réalisé sur les modèles de LF un film qui, avant d'être diffusé à la télévision, doit être projeté en avant-première dans l'auditorium de la National Gallery. Il est composé d'interviews de nombreux modèles, parmi lesquels Andrew Parker Bowles, David Dawson ou encore David Hockney. Le projet suscite depuis quelque temps une certaine nervosité chez LF. Pour la projection, à laquelle assisteront de nombreux modèles et collègues artistes, il décide de se coiffer d'un vieux panama cabossé (un déguisement parfaitement inefficace).

Le film le rend mal à l'aise car bien qu'il n'y apparaisse qu'une seconde vers la fin, alors qu'il entre involontairement dans le champ – irruption saluée par des acclamations dans la salle –, le principal sujet évoqué durant tout le film est naturellement lui-même.

« Ma propre personne est, à mes yeux, le sujet probablement le moins intéressant au monde. Comme la plupart des gens, je suis égocentrique dans la mesure où j'aime faire ce qui me plaît, mais je ne suis absolument pas introspectif. Certains de ceux qui figurent dans le film étaient captivants, d'autres rasoir. Et au final, comme toujours, on ne présente qu'un aspect des choses. »

Il n'est pas tout à fait exact de dire que LF n'est pas introspectif. En réalité, il est très à l'écoute de lui-même. C'est plutôt que l'idée que les autres puissent l'examiner est à l'exact opposé de ce qu'il est toujours en train de faire : observer le sujet.

Il s'efforce aussi de toujours maintenir ses propres émotions, en tout cas celles dont il a conscience, en dehors du tableau, et met en garde contre l'illusion, dangereuse pour un peintre, de penser que « tout ce que vous faites est bon parce que c'est empli de vos émotions ».

Dans le film, beaucoup de ceux qui ont posé pour lui parlent justement de ce qui m'intéresse : leur propre expérience de modèle. Tandis que nous bavardons dans le taxi qui nous ramène à l'atelier, il apparaît peu à peu que ce qui intéresse tout naturellement LF – en tout cas *a posteriori* – concerne beaucoup plus la façon dont a évolué le tableau pour lequel chacun d'eux a posé.

…

Seules la chemise et la veste n'ont pas encore été esquissées. Je demande à LF s'il va faire figurer les rayures blanc sur rose de la chemise. Il semble qu'il n'ait pas encore arrêté sa décision à ce sujet.

Pendant la séance il cite en allemand un poème de Schiller, « Der Taucher » (« Le Plongeur »), que sa mère lui récitait pendant son enfance à Berlin et qu'il aimait beaucoup. LF est doté d'une mémoire remarquable pour les poésies de toutes sortes.

Il cite W. H. Auden, Philip Larkin, Lord Byron, ses poètes préférés. Parfois il récite aussi par cœur, ce qui est plus surprenant, des poèmes ou des chansons comiques. Lors d'une séance récente, il a récité en totalité « Lord Lundy, Who was too Freely Moved to Tears, and thereby ruined his Politicial Career ».

Le poème se termine par une cruelle admonestation du duc, le grand-père de Lundy :

« Sir ! Vous nous avez déçus !

Nous pensions à vous

Comme prochain Premier ministre :

Les stocks étaient écoulés ; la presse approuvait :

La classe moyenne était toute disposée ;

Mais voilà !… Les mots me manquent !

Allez donc gouverner la Nouvelle Galles du Sud ! »

L'auteur, Hilaire Belloc, a influencé LF lorsqu'il écrivait des vers dans sa jeunesse. « A l'école, j'écrivais pas mal de poèmes comiques qui ont été ensuite réunis dans une espèce de fausse édition privée. Par la suite, mon frère a cité l'un d'eux dans une chronique culinaire, ce qui m'a vraiment rendu furieux. Le poème s'intitulait : « Ode à un œuf frit ». Il se terminait par : "Te voilà posé sur mon assiette blanche comme craie/Tout gras et dégoûtant… beurk !" »

Un autre des poèmes de LF, publié dans le journal de son lycée, avait pour thème les vers de terre. On y trouvait ces mots : « N'ayant pas de langue les vers ne peuvent mentir,/Dépourvus d'yeux ils ne peuvent pleurer. » Et il se terminait par : « Morale : Ayons de la sympathie pour les vers. »

4 mai 2004

Cette semaine, je suis entré dans un état de calme bouddhique dans lequel je ne m'inquiète plus vraiment du temps que cela prendra, même si j'accueillerais avec satisfaction l'apparition d'une nouvelle zone peinte. Cela se produit justement ce soir. Je constate avec plaisir que Freud s'est attaqué à un élément qu'il n'avait pas encore abordé jusque-là : ma chemise. Il la peint très rapidement, étalant des touches d'un rose délicat, sans tracer les rayures.

Même s'il affirme que ses sujets humains ne sont rien d'autre que des nus habillés, LF accorde une très grande attention aux vêtements. Quand il aime un objet, il en retire un plaisir sensuel, comme lorsqu'il caresse le cuir de ma serviette dont il apprécie la qualité.

De la même façon, LF est extrêmement conscient du rapport entre une tenue et celui qui la porte. Ensemble nous sommes allés il y a quelques années à un concert de Ray Charles au Royal Festival Hall, et il a entre autres fait l'observation suivante : « Ce type-là sait vraiment porter ses habits. »

Il considère l'habillement comme quelque chose à mi-chemin entre le talent et l'instinct et retire une masse d'informations sur quelqu'un d'après la façon dont il s'habille.

LF remarque qu'il y a cinquante ans, les vêtements jouaient une fonction essentielle qu'ils n'ont plus aujourd'hui. « Il était tout à fait impossible pour un gentleman, par exemple, de sortir sans chapeau. Un jour, Truman Capote [dont il avait fait la connaissance par l'intermédiaire de Cecil Beaton] descendit au Ritz à son arrivée en Angleterre. A la réception, l'employé le jaugea d'un regard – Capote avait la taille d'un enfant, une voix haut perchée et une écharpe qui lui descendait jusqu'aux chevilles –, fut saisi de panique et fit mine d'avoir égaré le registre.

« A une époque, comme je trouvais que ma vie ne se déroulait pas aussi bien qu'elle le devait, j'en conclus que c'était dû à la façon dont je m'habillais. Les taxis ne s'arrêtaient pas pour me prendre, ce genre de choses ; on m'interdisait l'entrée de certains lieux. Il est probable que c'est parce que les chauffeurs de taxi décelaient d'instinct mon tempérament anarchiste, car de fait ils recommencèrent à s'arrêter une fois que je fus allé m'habiller chez un grand tailleur. A ma première séance d'essayage, le tailleur examina les vêtements que je portais – une version prêt-à-porter italienne de zoot suit – et déclara : "Vous avez là un costume d'une coupe très intéressante, monsieur. Où l'avez-vous trouvé ?" Cela m'a paru d'une grande élégance. »

LF réagit aux vêtements comme s'il s'agissait de personnes dotées de leur propre personnalité. Il est également fasciné par la façon dont, consciemment ou inconsciemment, comme avec le costume de Ray Charles, ils expriment l'individualité de leur propriétaire. Il a peint une fois le portrait d'un ami vêtu d'une chemise hideuse, « parce que c'était précisément le genre de chemise hideuse qu'il considérait comme très chic ». Je ne sais pas trop ce que mes vêtements révèlent de moi, et, bien entendu, LF n'en dira pas un mot.

. . .

Après la séance, LF remarque d'un air songeur : « La chemise m'a beaucoup aidé. Dès que je l'ai intégrée, j'ai commencé à voir comment elle allait pouvoir fonctionner sur le plan structurel. » Je ne vois pas très bien ce qu'il veut dire par là, à part que l'un de mes lobes d'oreille est aussitôt devenu du même rose que celui de la chemise. En revanche, il avoue avoir été « démoralisé » en essayant d'introduire l'écharpe car, sitôt appliqué, le bleu a révélé que le visage en était encore, dit-il, « au début », ce qui voulait dire, je suppose, qu'il est encore loin d'être terminé.

Une autre chose qui démoralise LF, c'est de continuer à travailler sur le tableau – qu'il a débuté aux alentours du solstice d'hiver – alors qu'il fait encore grand jour dehors à sept heures du soir, même si les volets sont clos et la lumière électrique allumée. « En même temps, c'est devenu aujourd'hui un véritable luxe d'avoir une vraie obscurité dehors. »

7 mai 2004

Quand j'arrive, j'ai un aspect inhabituellement chiffonné après une longue et difficile journée. D'abord, j'ai parlé devant les patients d'un hospice dans lequel mon ami Richard Dorment, le critique d'art du *Daily Telegraph*, organise des conférences. Puis j'ai déjeuné avec lui et ensuite – après m'être attardé en chemin à l'exposition des œuvres sur papier de Cy Twombly à la Serpentine Gallery – j'ai passé l'après-midi à la bibliothèque du Victoria and Albert Museum pour y consulter des livres et des articles sur Van Gogh.

Toutes ces activités ont fait que j'ai les cheveux complètement hérissés et en désordre. Ce qui semble particulièrement inspirer LF. « J'avais prévu de peindre une chemise ce soir, au lieu de quoi je me retrouve à peindre des cheveux. C'est bon signe quand je change ainsi de projet. »

J'essaie subrepticement de me recoiffer, ce qui provoque chez LF une grimace d'horreur feinte. Lorsque je me lève pour me détendre un peu les jambes, je constate qu'une mèche de cheveux grisonnants est apparue en travers de mon front. « Je l'ai déjà vue comme ça auparavant, elle m'aide beaucoup », commente LF avec satisfaction. En réalité, il est déjà arrivé à plusieurs reprises, au cours des séances, que LF me demande de la relever. Désormais, il semble qu'elle ait trouvé sa place et qu'elle n'en bougera plus.

Il a commencé par mélanger une série de teintes grisâtres qu'il a appliquées sur le fond derrière ma tête – qui était restée nimbée jusque-là d'une auréole de toile blanche. Puis il traite pareillement les cheveux, et semble satisfait du résultat. « La forme de la tête se détache beaucoup mieux. »

…

A la Locanda Locatelli, alors que nous venons de terminer notre *bollito misto*, une des serviettes prend brusquement feu. Elle était posée sur un coin de notre table, tout près d'une bougie fichée dans une soucoupe. D'un seul coup, les flammes embrasent la table. Je tire la nappe, projette le tout par terre et piétine les reliefs de notre repas. Les restes encore fumants sont prestement évacués par le personnel, de sorte que seuls quelques clients réalisent qu'ils viennent d'échapper de peu à l'immolation.

Pour ma part, l'incident m'a un peu secoué et contrarié, alors que LF en serait plutôt ragaillardi. « Peut-être est-ce parce que je suis un pyromane qui s'ignore, mais chaque fois que je vois des flammes et des étincelles, je suis émerveillé. » Ceci n'est qu'un petit exemple de la façon dont sa réaction au danger se situe à l'opposé de ce qui, j'imagine, est la norme. LF m'a fourni un autre exemple en me relatant un de ses souvenirs de patinage sur glace au Tiergarten de Berlin, juste avant le départ de sa famille pour la Grande-Bretagne en 1932. « Un jour j'ai franchi sur mes patins un tunnel et, au moment où j'en ressortais, la glace a cédé et j'ai été repêché par un homme qui se trouvait sur la berge. Ce fut très excitant. »

Lorsque LF et Caroline Blackwood séjournaient à Biarritz au début des années 1950, il aimait aller se baigner aux endroits signalés par un panneau « Baignade interdite ».

« Ça m'excitait terriblement. Ce que j'aimais surtout, c'était sauter dans une vague qui arrivait et qui, en déferlant, me rejetait sur le rivage comme un poisson. Un jour que la mer était assez forte j'ai mal calculé mon coup et au lieu d'être rabattu sur la plage, j'ai été entraîné vers le large. J'ai beau être un très bon nageur, j'ai vite compris que je ne pouvais pas lutter. Très rapidement, j'ai bu la tasse et je me suis dit que c'était la fin. Mais en même temps, être entraîné au loin m'a procuré une sensation très agréable.

« C'est alors qu'une barque s'est présentée. Mais quand je m'en suis approché, j'ai vu que la personne qui ramait était quelqu'un que je n'aimais pas du tout. Il séjournait avec le même groupe d'amis que nous, c'était un Français qui avait gagné beaucoup d'argent en vendant des briques. Nous l'avions d'ailleurs surnommé "la Brique". Il proférait des choses ridicules comme : "On devrait jouer d'une femme comme d'un violon." Alors Caroline lui demandait : "Etes-vous donc bon musicien ?" Chacun savait que sa femme avait une liaison avec un autre homme du groupe.

« Jusqu'alors, donc, j'avais appelé au secours, mais quand il s'est approché j'ai fait comme si je ne faisais que tousser. Le soir, il a dit : "Hum, je crois bien que je vous ai sauvé la vie aujourd'hui." A quoi j'ai répliqué : "Pas du tout, je m'amusais beaucoup !" »

Ce sont ces derniers mots qui sont caractéristiques. Comme le jour où il était passé à travers la glace au Tiergarten, LF avait trouvé son expérience non pas terrifiante ni choquante, mais excitante. Cette attitude a eu un impact sur sa peinture, principalement en lui donnant le courage de persévérer dans sa voie. Il y eut une période, une longue période à partir du début des années 1960, où il persévéra en dépit du fait que son travail était totalement hors mode. C'était la grande époque du pop art, de l'op art et de l'abstraction britanniques. Ce que faisait LF était jugé dépassé, un art relevant de la décennie précédente. De plus, il avait radicalement modifié sa façon de travailler : ayant abandonné la méticulosité de ses débuts, il peignait désormais en larges et libres coups de pinceau – ce qui lui aliéna certains de ses premiers défenseurs.

« Mes tableaux ne trouvaient pas acheteur. J'avais un marchand, mais il ne vendait ni n'exposait mon travail. Je me suis retrouvé brusquement sans aucun revenu. La situation a commencé à s'améliorer dans les années 1970, et plus encore dans les années 1980. Je pense que le fait de jouer m'a aidé en ce qui concerne l'argent, car cela m'a appris à moins m'en préoccuper. »

Cette période correspond en gros au milieu de sa vie – depuis l'année de ses quarante ans jusqu'à sa soixantaine. LF a divorcé de deux femmes dont il a eu plusieurs enfants. Beaucoup de gens dans le milieu artistique estimaient que ce qu'il faisait ne pouvait que le conduire à une impasse. Un artiste célèbre qui fut son voisin durant quelque temps avait dit à LF qu'il ne « pigeait » absolument pas son travail.

« "Je ne comprends pas ce que vous cherchez, me disait-il. Je ne vois pas la raison pour laquelle vous faites cela." Je lui ai dit de ne pas s'en inquiéter.

— Ce genre de remarque vous déstabilisait-il ?

— Non, ce n'est pas comme si j'avais voulu produire quelque chose pour des clients. C'était quelque chose que je faisais parce que je le voulais. »

Il a donc poursuivi, en travaillant lentement, à son propre rythme et, de surcroît, en continuant à jouer énormément, ce qu'un tempérament plus conventionnel aurait jugé pure folie. Probablement par esprit de contradiction, LF semble avoir trouvé une certaine satisfaction dans l'ignorance où on le tenait.

« Je trouvais qu'il y avait quelque chose de réjouissant dans le fait d'être oublié, de travailler presque de façon clandestine. Je n'ai jamais cherché à attirer l'attention, aussi cela ne me posait absolument aucun problème.

« A l'époque j'habitais dans une rue proche de Paddington. Les habitants du coin l'avaient surnommée "l'allée des bestioles" car elle était infestée d'insectes, même si je suis arrivé à en débarrasser l'atelier. Ma voisine du dessous disait que c'était une honte d'avoir installé une usine au-dessus de sa tête. La pièce était très étroite, ce qui est sans doute la raison pour laquelle j'y ai peint beaucoup de têtes de très grand format. »

C'est là une démonstration intéressante de l'effet que peut avoir l'espace physique de l'atelier sur les œuvres qui y sont réalisées. Les peintures exécutées dans la grande double pièce géorgienne dans laquelle je pose ont un aspect aéré et spacieux. A l'inverse, les portraits dont il parle, peints au début des années 1960, dégagent une intimité presque claustrophobe.

11 mai 2004

L'*Evening Standard* a été extrêmement sévère avec Stephen Spender – un ami de LF dans les années 1930-1940 –, mais dans l'ensemble LF approuve ces critiques. Il se souvient que W. H. Auden, qu'il avait connu par l'intermédiaire d'un ami de ses parents, avait dit de Stephen Spender : « "Je pense que nous finirons par faire de lui un poète comique", et j'avais été extrêmement flatté par ce "nous", mais je m'étais dit aussi que c'était un jugement très juste. Si Stephen avait quelque talent, c'était effectivement dans le domaine de la comédie. »

Pour LF, Spender souffrait d'une faiblesse de caractère que certains considèrent comme une vertu mineure.

« Stephen voulait être aimé, ce qui n'est jamais une très bonne idée.

— C'est peut-être mieux que de vouloir être détesté.

— Moi, j'ai toujours voulu qu'on me craigne.

— Qu'entendez-vous par là ?

— Eh bien, pas que les gens fuient à mon approche, bien entendu, mais qu'ils me trouvent un peu impressionnant. »

Auden avait émis une autre remarque que LF garda à l'esprit durant des décennies. Un jour, ils parlaient commandes, et Auden avait déclaré que d'une certaine façon, toute œuvre peinte par un artiste et tout livre écrit par un écrivain répondent à une commande : une commande passée par lui-même. Autrement dit, il ou elle décide de faire telle chose, puis exécute la commande.

La question des commandes officielles pose problème à LF, dont le travail est tout à la fois intime et, d'une certaine manière, vise à dire la vérité. Pour lui, entreprendre de peindre le portrait de quelqu'un est une affaire aléatoire. Il peut s'avérer qu'il n'a aucune affinité avec la personne, aucune envie de travailler avec elle. Par ailleurs, ses méthodes de travail font qu'il va être enfermé dans un espace confiné et intime avec son modèle durant de très nombreuses heures. Il obéit en outre à un certain code moral personnel. « Je fais les choses de manière impulsive, ou bien – tout aussi impulsivement – je ne les fais pas, même si les faire ou ne pas les faire peut être déraisonnable ou gênant pour moi. J'ai l'impression qu'agir autrement serait contraire à ma nature. »

Cela s'applique de toute évidence autant à son travail qu'à sa vie. Pour toutes ces raisons, exécuter des œuvres de commande, c'est-à-dire le contraire de peindre des sujets selon son envie, est quelque chose de problématique pour lui. Pendant une pause, il relate une anecdote éclairante à ce sujet.

« Il y a longtemps, dans les années 1960, quand je vivais à Gloucester Terrace, je reçus une lettre d'un professeur de physique d'une grande université anglaise me disant qu'ils cherchaient un peintre pour faire le portrait du président de l'université. Après de longues et intenses discussions, leur choix s'était arrêté sur moi et ils me demandaient de réfléchir à la proposition. Je répondis que je n'acceptais que rarement des commandes, sinon jamais, mais que de toute façon je ne pouvais leur donner de réponse avant d'avoir rencontré ledit président pour voir si je me sentais capable de faire son portrait. Le professeur m'écrivit alors que si je rencontrais le président – qui avait autrefois été le principal d'une école prestigieuse – et que je refusais de le peindre, il risquerait d'en être extrêmement contrarié. Aussi on ne pouvait accepter ma suggestion.

« Je lui répondis : "Très bien ! N'en parlons plus !" Je reçus alors un nouveau courrier dans lequel le professeur m'expliquait qu'il avait pensé à un stratagème. Il proposait de m'inviter à un banquet de l'université où je serais installé de façon à pouvoir observer le président sans qu'il s'en aperçoive. J'ai donc accepté l'invitation et eu droit à un excellent repas.

« J'étais installé à une table en compagnie du professeur de physique et d'un de ses collègues et nous avons eu une conversation très animée pendant laquelle je ne cessais de me dire combien c'était extraordinaire de me retrouver en train de discuter avec un physicien !

« Comme le président était d'une couleur gris roux, ce qui est plutôt une belle combinaison, je finis par dire que je voulais bien tenter le coup. Ils voulurent alors savoir combien cela leur coûterait. Je demandai 1 000 livres – ce qui était une grosse somme à l'époque. Ils trouvèrent le prix excessif et dirent que s'ils avaient choisi un peintre vraiment célèbre, cela ne leur aurait pas coûté plus de 800 livres. Il faudrait donc qu'ils obtiennent l'aval de leur conseil d'administration. Serais-je prêt à accepter 800 livres ? Je leur donnai mon accord tout en expliquant que le projet me mettait très mal à l'aise, que je n'acceptais presque jamais de commandes, etc.

« Il fut donc convenu que je dînerais avec le président, qui se présenta accompagné de sa fille, fort séduisante. Il s'avéra quelqu'un de très pompeux, à la manière d'un directeur d'école, habitué à poser des questions auxquelles il attend des réponses. [LF prend une voix grave d'universitaire :] "Dites-moi, vos tableaux présentent toutes sortes de points, de pâtés et de tortillons de pigment, à quoi cela sert-il exactement ?"

« Nous eûmes plusieurs séances durant lesquelles il me posa des tas de questions de ce genre. De temps à autre, il s'endormait, mais pas de façon détendue. Il s'assoupissait, puis, brusquement, se réveillait en sursaut. Finalement, j'ai écrit une lettre dans laquelle je disais qu'il m'était tout à fait impossible de travailler dans la même pièce que cet homme, et le professeur de physique me répondit en disant que c'était une véritable tragédie.

« Quelques semaines plus tard, on sonna à ma porte. En ouvrant je découvris le président en grande tenue de soirée. "Dites-moi franchement, Freud, qu'est-ce qui ne va pas avec moi ? — Cela n'a rien à voir avec vous, répondis-je, c'est à cause de moi." Que pouvais-je lui dire ?

« Après ça, j'ai cherché chaque jour l'annonce de sa mort dans le journal, parce qu'il m'avait paru assez mal en point, et au bout d'environ quatre ans, je suis tombé sur l'avis de décès. »

Donc, même si les séances de pose n'avaient rien donné, il semble qu'elles aient constitué une sorte de diagnostic, un peu comme les miennes ont révélé une sensibilité fluctuante dont je n'avais pas pris conscience jusque-là.

14 mai 2004

C'est mon anniversaire : j'ai vieilli d'une année, et six mois se sont écoulés depuis que ce tableau a commencé. Etre assis dans ce cône de lumière pendant qu'on vous examine attentivement est une expérience étrange. Etre observé de façon soutenue, comme me regarde LF, est dans la vie ordinaire déconcertant, voire menaçant. Comme le remarque McNeill dans *The Face* : « Regarder fixement est quelque chose de spécial. Notre radar mental détecte très vite ce genre de regard, et même si nous nous sentons parfaitement en sécurité, nous sommes parcourus d'un frisson d'avertissement. C'est une sensation viscérale, profonde, étrangement inquiétante. Et elle n'est pas seulement d'ordre psychologique. Etre observé vous met en éveil, accélère le rythme cardiaque et modifie la réaction galvanique cutanée, particulièrement si la victime ne peut contrer ou esquiver ce regard. » Dans un lieu public comme un pub ou un café, regarder quelqu'un fixement peut déclencher une bagarre.

Dans l'atelier toutefois, être soumis au regard permanent du peintre ne donne pas cette impression. Tout se passe comme si même à un niveau profondément instinctif, on réalisait que – comme dans le cabinet d'un médecin ou chez le coiffeur – ce n'est en réalité pas vous qui êtes observé à tel ou tel moment, mais un aspect particulier de vous-même. La façon, par exemple, dont les muscles de votre joue sont reliés entre eux.

Vous vous sentez en définitive plus déconnecté que déconcerté. Vous êtes inhabituellement conscient de la surface de vous-même – de votre peau, de votre chair et donc de ce qui se trouve à l'intérieur de votre bulle : une masse tourbillonnante de pensées et de sensations. Cela soulève la question que chacun se pose dans son enfance et qui revient de façon intermittente ensuite : quelle est cette chose qu'on appelle « moi » ? C'est là bien entendu l'énigme centrale de l'art du portrait.

Le peintre Michael Andrews a fait une série de tableaux de ballons volant silencieusement au-dessus de la terre : sa métaphore de l'ego. L'un d'entre eux, peut-être le meilleur de l'avis de LF, ne montre que l'ombre du ballon sur le paysage en dessous. Poser donne parfois la même impression : celle d'être un petit contenant de personnalité suspendu dans l'air et environné de lumière.

...

Il est possible, en regardant sa propre image, de succomber à une certaine sorte de vertige. Quand on examine trop longtemps un mot écrit, ou qu'on se le répète un grand nombre de fois, il paraît peu à peu se vider de son sens et devenir de plus en plus étrange et arbitraire. Il peut se produire la même chose si vous vous regardez trop longtemps dans une glace.

On raconte une anecdote à propos de Gogol, qui semble avoir souffert simultanément du vertige des mots et de celui des images. Il avait apparemment pour habitude « de se livrer à une continuelle contemplation de lui-même dans un miroir et, totalement absorbé en lui-même, de se mettre à répéter son propre nom avec une expression d'aliénation et de répulsion ».

...

Lorsque l'anthropologue américain Edmund Carpenter prit des clichés Polaroïd des membres de certaines tribus vivant dans des zones reculées de la Nouvelle-Guinée, ces hommes furent intrigués de ne pas se reconnaître, car ils n'avaient jamais vu d'images en deux dimensions. Ensuite ils emportèrent les photos chez eux et les étudièrent de plus près ; plus tard, certains d'entre eux réapparurent avec les Polaroïds fixés au front, tel un signe visible d'eux-mêmes. Peut-être est-ce un peu ce qui se passe avec moi. Ne m'étant jamais observé jusqu'alors avec une telle intensité et une telle attention aux détails, ni au travers du regard objectif d'un autre, je suis tout d'abord dérouté par ce que je découvre. Ensuite, je pourrai peut-être l'accepter comme une représentation de moi-même, quoi que cela puisse vouloir dire. C'est ce que, à tort ou à raison, nous faisons souvent avec les portraits.

18 mai 2004

P endant une pause, nous abordons à nouveau la question des commandes, et LF me dit qu'il en a accepté très peu au fil des années.

« J'en ai fait une pour Bernard Walsh, le patron du restaurant Wheeler à Soho, où j'allais très souvent – comme beaucoup de mes amis, j'y avais une ardoise. Il voulait une peinture de moi par Francis, et un tableau de Francis par moi. En fin de compte, Francis lui a effectivement donné un portrait de moi, et pour ma part j'ai fait ce portrait de Walsh lui-même qui, à ma grande satisfaction, n'a pas refait surface depuis. Non qu'il ait été complètement raté, sinon je ne l'aurais pas laissé sortir de l'atelier, mais j'avais tenté de travailler différemment – en appliquant une couche plus mince de peinture – et il me semble que ça n'a pas vraiment fonctionné. »

On peut constater une étrange dissymétrie entre les portraits de Francis Bacon par LF et ceux de Freud par Bacon. LF n'a peint que deux fois Bacon, et l'a dessiné à quelques reprises, mais le premier de ces tableaux – le portrait de 1952 qui fut volé dans une exposition à Berlin en 1988 et n'a jamais été retrouvé – est, ou était, un chef-d'œuvre : l'extraordinaire représentation d'une tension intérieure bouillonnant sous le calme de la surface. Les autres, y compris les croquis rapides, parmi lesquels un de Bacon avec le pantalon déboutonné, sont mémorables par leur compréhension aiguë du modèle.

Les nombreux tableaux qu'a faits Bacon de LF sont plus ternes que ceux de ses autres modèles réguliers – Isabel

Rawsthorne, Henrietta Moraes et George Dyer –, comme s'il n'arrivait pas à saisir l'essence du modèle.

J'interroge LF sur le magnifique portrait volé de Bacon. Avait-il exigé plusieurs dizaines d'heures de pose comme les autres ? Et si oui, comment Bacon réagissait-il devant le sacrifice d'un temps qu'il aurait pu employer à travailler ?

« Je mets toujours longtemps, rétorque LF, mais je ne me souviens pas que ce portrait de Francis ait pris tellement de temps. Devoir poser le faisait beaucoup râler – il faut dire qu'il râlait à propos de tout –, mais il ne se plaignait jamais devant moi. Je l'ai appris par d'autres, au pub. Il posait très bien. »

Il semble qu'en revanche LF ne se soit pas montré très coopératif pour poser à son tour pour Bacon. « J'ai posé pour un tableau, que je trouvais très bien juste avant qu'il soit fini, mais ensuite il l'a gâché. » Il avoue ne pas être un très bon modèle.

J'imagine que c'est parce qu'il est trop nerveux et impatient. La plupart des portraits de LF par Bacon, à l'instar de la majorité des portraits peints par Bacon, ont été réalisés d'après photo.

« Je ne pense pas que ce soit les meilleures choses qu'il ait faites, juge LF, même si presque tout ce qu'il faisait à l'époque – fin des années 1940, début des années 1950 –, quand il n'avait pas encore de style, était bon. Il fut un temps où j'avais beaucoup de tableaux de Francis, que j'avais achetés ou qu'il m'avait donnés. Il y avait un très bon portrait de William Blake, qui est aujourd'hui à la Tate et que j'avais laissé à la maison quand Caroline et moi nous sommes séparés. Elle l'a vendu ; je ne lui en ai pas voulu, bien qu'il m'appartînt. Il m'a donné un des papes avec le gland qui se balance en travers du tableau – on le voyait quasiment se déplacer – et aussi le tableau de deux silhouettes se découpant sur un store dans le sud de la France – un tableau très étrange et plein d'esprit. »

...

Jean-Siméon Chardin, *La Jeune Maîtresse d'école*, 1735–1736

After Chardin, 2000

A la fin de la séance, LF déclare qu'il veut que « les formes soient un peu moins disloquées ». On dirait bien, en conclus-je avec soulagement, que la fin approche.

20 mai 2004

LF s'est consacré uniquement au plan et à mes cheveux, qu'il a faits – cela ne m'a guère étonné – plus gris, ce qui a eu pour effet, et c'était probablement son intention, de les faire ressortir un peu plus. « Ça ne fonctionnerait pas du tout si je considérais ça comme un arrière-plan. C'est pour ça que je ne vais probablement pas y revenir avant d'avoir plus travaillé la tête. » C'est le contraire de ce qu'il a indiqué à la fin de la séance précédente, au cours de laquelle il a beaucoup travaillé sur la chemise et commencé la veste. « Je crois que je vais à présent recouvrir toute la toile, ainsi je verrai mieux la tête. » Cela montre une fois de plus que, comme il le dit lui-même, il n'a pas de méthode définie.

…

La qualité vivante et individuelle du plan est essentielle pour son travail. Lorsqu'il réalisa une gravure (p. 187) d'après *La Jeune Maîtresse d'école* de Chardin (1735 ; p. 186), dont il tira ensuite une série d'exemplaires – ou plutôt une série de réinventions et d'explorations dans différentes techniques –, le plan oscille et tournoie autour de la tête des deux personnages comme s'il était en proie à de puissantes forces sismiques ou psychiques.

Faire ainsi du personnage et de son environnement un tout organique est l'inverse de ce que Francis Bacon critiquait en tant qu'« illustration ». Mais, estime LF, comme il en va souvent chez ceux qui se livrent aux critiques, Bacon lui-même n'évita pas toujours le piège de l'illustration. « Avoir un fond uni et placer le sujet en tant que tel dessus est, on peut le dire, une recette infaillible pour l'illustration. Bien entendu il en va tout autrement des meilleures choses, quand Francis travaillait et animait la totalité de la toile. Mais quand, comme il l'a fait de plus en plus ensuite, il se contentait de placer quelque chose sur un fond bleu foncé ou vert foncé sans le mettre en relation avec quoi que ce soit, eh bien le résultat était inévitablement de l'illustration. »

…

LF m'a appris la semaine dernière qu'il souffrait d'une rage de dents. Son dentiste lui a annoncé qu'il allait falloir lui arracher les incisives du haut. Quand je lui demande quand cela aura lieu, LF me répond : « Dans les six mois, à peu près. » Il semble que ses dents soient mal arrimées à la gencive, et, d'après son dentiste, il lui serait impossible de les garder sans poser un bridge, des implants ou même un dentier. LF a l'impression qu'un dentier, notamment, le distrairait de sa peinture, qui est le principal but de son existence. Il craint de perdre trop de temps à se demander où il a pu le poser, ce genre de chose. Sa réaction immédiate a été d'estimer qu'il ne supporterait les inconvénients d'aucune des solutions envisagées. En revanche, il s'est aussitôt mis à imaginer un *Autoportrait édenté*.

Il s'avère que les dents de LF vont pouvoir être sauvegardées. De toute évidence, le dentiste a proposé un plan B. « Bah, si je les arrachais, je n'aurais plus rien sur quoi travailler. » LF est soulagé ; il avait commencé à s'inquiéter de savoir s'il pourrait manger correctement sans dents de devant. « Je me fiche pas mal de mon apparence, souligne-t-il. La seule chose qui m'intéresse, c'est de quoi les autres ont l'air. » Il a parlé à son dentiste du projet d'autoportrait sans dents qu'il avait envisagé, à quoi le praticien a répondu : « Eh bien, j'espère que vous n'aviez pas l'intention de faire figurer le nom de votre dentiste dans le titre. » On imagine pourtant que cela eût été un formidable tableau : un témoignage sans concession sur la dégénérescence physique.

Alors que nous parlions un jour du *Diane et Actéon* et du *Diane et Callisto* de Titien, il avait dit : « Ils ont ce que doit avoir tout bon tableau, à savoir une pointe de poison. Dans le cas d'un tableau, le poison ne peut être isolé ou détecté comme il peut l'être dans la nourriture. Il peut y prendre par exemple la forme d'une attitude. L'impression de mortalité pourrait être le poison d'un tableau, comme elle peut l'être dans ceux-ci. » C'eût été sans conteste le cas de l'autoportrait édenté.

Une bonne partie du travail de LF exprime ce sentiment de mortalité. Même les tableaux de personnes jeunes et en pleine santé expriment la vulnérabilité de la chair, suggèrent sa propension à s'affaisser et se flétrir. Ils nous rendent conscients du passage inexorable du temps, et pourtant leur effet n'est pas terrifiant, mais seulement véridique.

Dans ses autoportraits, LF s'empare avec une sorte de délectation des marques de vieillissement et des signes du passage du temps (c'est peut-être aussi ce qu'il veut dire quand il affirme que craindre la mort est un grand inconvénient chez n'importe quel peintre). L'attitude de LF à l'égard de ses modèles est, sous cet aspect, identique à celle qu'il a envers lui-même.

…

L'observation exacte, dépourvue de sentimentalité mais pourtant empathique du déclin humain à laquelle se livre LF apparaît clairement dans son récit des dernières années de Nina Hamnett, vaillante bohème de la génération édouardienne. Elle eut une liaison avec Amedeo Modigliani ; elle fut le modèle nu de Henri Gaudier-Brzeska pour sa célèbre sculpture intitulée *Torso* ; et fut elle-même – presque, mais jamais tout à fait – une artiste significative avant de devenir un pilier des bars de Soho et Fitzrovia dans les années 1930, où LF fit sa connaissance.

« Je l'ai rencontrée la première fois où je suis entré dans un pub, en l'occurrence le Fitzroy Tavern, alors que j'avais une quinzaine d'années parce que, comme toujours, elle était là. Quand je suis allé au Pays de Galles, je lui ai envoyé une carte postale où je lui demandais si elle était toujours ivre. Elle était encore furieuse quand je suis revenu à Londres : "Comment as-tu pu m'envoyer une carte comme ça ?" Elle avait raison, c'était très grossier de ma part ; tout le monde l'avait vue. J'étais fier de la connaître, mais chaque fois que je la voyais, elle était ivre.

« C'était une épave mais elle ne manquait pas de cran, et elle savait se comporter. Quand elle vous demandait de l'argent, c'était toujours du genre : "Oh, j'ai dû oublier mon porte-monnaie à la maison, ça vous ennuierait de me dépanner ?"

« J'avais toujours un certain plaisir à la voir. C'était quelqu'un de bien, ce qui la rendait sans doute un peu vulnérable par rapport à certains de ceux qui fréquentaient ce genre de milieu et qui vivaient plus ou moins aux crochets d'autrui. J'ai appris par exemple de gens qui l'avaient connue dans sa jeunesse qu'elle ne sortait jamais avec quelqu'un simplement parce que cette personne avait de l'argent.

« Je l'ai présentée un jour à un ami éditeur, je crois qu'il était question de publier un second volume de ses mémoires (elle en avait déjà publié un intitulé *Laughing Torso*, un titre plutôt macabre, mais elle n'était pas une femme de mots, elle était peintre). "Voulez-vous une tasse de thé ? s'enquit Nina. J'en ai gardé au chaud pour vous." Elle rejeta alors les couvertures sous lesquelles elle était allongée dans son lit, et nous vîmes qu'elle était pelotonnée autour de la théière. C'était impressionnant.

« Vers la fin, elle s'installa dans une maison proche de chez moi, sur Delamere Terrace, et à l'époque elle avait un amant qui était marin et qui avait au moins vingt-cinq ans de moins qu'elle. Quand il la quitta, elle sauta par la fenêtre, à moins qu'elle ne soit tombée (d'une certaine manière, je préférerais qu'il s'agisse d'une chute accidentelle).

« Je lui rendis visite à l'hôpital. Elle était toute cassée, minuscule dans son lit. Sa sœur, que je n'avais encore jamais rencontrée, était là, assise à côté du lit et disant des choses comme : "Elle ne changera donc jamais, cette chère vieille Nina", en secouant la tête. Elle a soulevé les draps, il y avait du sang et des os brisés. Nina était inconsciente, et puis elle est morte. Comme personne ne savait qui allait payer les frais de l'enterrement, je les ai pris à ma charge. »

Cette description pleine de sympathie me rappelle sa gravure du chien Pluto, qu'il a réalisée alors que l'animal était vieux et arthritique, qu'il perdait la vue et approchait de la mort. Trouvant que la pauvre créature avait besoin de compagnie, LF avait ajouté au dessin une main presque désincarnée, comme la main de Dieu dans l'art médiéval.

26 mai 2004

Je suis à mi-chemin de la gare quand je réalise que j'ai oublié l'écharpe bleue. Commencé au milieu de l'hiver, le portrait est désormais au seuil de l'été, mais je porte toujours ma veste de tweed et mon écharpe, celle-ci étant un accessoire particulièrement saugrenu par une chaleur pareille. Le simple fait de transporter cet attirail devient une véritable entreprise.

La veille ayant été d'une chaleur torride, je me suis dit que je ne pouvais décidément pas mettre ma veste en tweed. Finalement, je l'ai remplacée par une veste en lin bleu marine d'une tonalité et d'une couleur approchantes, et j'ai apporté l'autre dans un sac au cas où LF insisterait pour que j'aie exactement la même tenue.

En tout état de cause, il préfère celle en lin. « Elle tombe très bien au niveau des épaules. » Je me demande si cela ne lui épargne pas d'avoir à reproduire le motif du tweed, point sur lequel il était assez indécis. Quant aux rayures de ma chemise rose, il les a tout simplement ignorées.

…

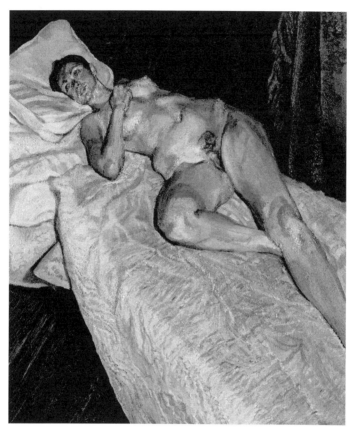

Naked Portrait, 2004

Nous parlons de l'incendie qui s'est déclaré hier soir dans l'entrepôt londonien du Momart. Il semblerait que de nombreuses pièces de la collection de Charles Saatchi aient été détruites, parmi lesquelles des œuvres de Tracey Emin et des frères Chapman. LF déclare que « certains vont dire que c'est une preuve de l'existence de Dieu », ce qui n'est absolument pas un commentaire sur la valeur des pièces détruites mais sur la malveillance qu'elles s'étaient attirée. La méchanceté est un sujet qui l'intéresse.

C'est par le Momart que LF a rencontré Verity, le modèle qui pose en fin d'après-midi lorsque je ne suis pas là (p. 193), et il me dit qu'elle est totalement dévouée à l'entreprise. La presse ayant appris qu'elle posait pour lui, elle est poursuivie par un journaliste du *Daily Mail*. LF lui-même a été surpris par les paparazzi devant le Wolseley en compagnie d'un autre modèle, que lui avait indiquée sa fille Bella mais qui n'a pas fait l'affaire.

Cette embuscade a suscité la fureur de LF. « Je déteste qu'on me déclenche un flash sous le nez. Si j'avais eu une arme, je m'en serais servi. » Depuis quelque temps, il ne sort pas sans son panama cabossé, derrière lequel il entend dissimuler son visage pour échapper aux flashes des photographes.

LF éprouve une véritable phobie d'être photographié, même sans flash. Il y a des années, un jour que nous déjeunions au St John, à Smithfield, il eut l'impression qu'un client du restaurant était en train de prendre une photo de lui. Il se leva aussitôt et se mit à bombarder de petits pains le jeune homme — qui, s'avéra-t-il, photographiait un de ses amis à une autre table.

La répulsion de LF à l'égard des paparazzi est due en partie au fait que, comme il me l'a expliqué, il déteste qu'on lui brandisse une forte lumière devant les yeux, une réaction parfaitement compréhensible chez quelqu'un pour qui la vue est quelque chose de crucial. Mais il n'y a pas que cela. Il n'aime pas être observé, et en particulier qu'on prenne subrepticement une photo de lui. En dépit du fait qu'il soit une personnalité publique et que, depuis son jeune âge, la presse s'intéresse à lui, il définit

Self Portrait (inachevé), 1952

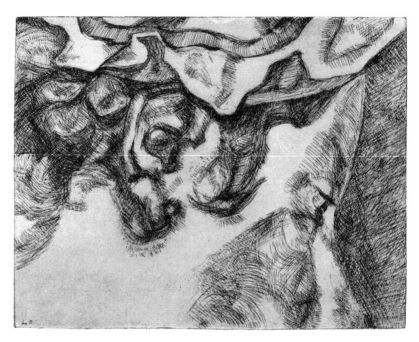

After Chardin, 2000

son tempérament comme « secret ou, en tout cas, *privé* ». Et c'est vrai également de son travail, qui résulte d'une longue et minutieuse observation, d'une intimité.

C'est pourquoi sa propre popularité ne laisse de susciter chez lui une certaine perplexité, « parce que mon travail est privé, il diffère de celui de certains artistes qui tiennent à faire un geste ou une déclaration publics. Je me demande parfois qui sont tous ces gens qui vont voir mes expositions ».

LF déteste agir au sein d'un groupe ou dans une foule. Si tant est qu'il ait des opinions politiques, elles relèveraient plutôt de l'anarchisme ; il cite la vieille formule anarchiste selon laquelle il est mal avisé de voter pour quelqu'un qu'on ne connaît pas personnellement. « Sur mes bulletins scolaires, il était souvent inscrit : "Ne prend aucune part aux activités collectives." Enfin, me disais-je, je suis arrivé à faire quelque chose de bien. »

Le voyage qu'il effectua en Jamaïque au début des années 1950 à bord d'un bananier fut pour lui un véritable enfer car il se retrouva confiné avec un groupe d'une quarantaine d'autres passagers qu'il lui était impossible d'éviter.

« Un jour une affiche annonça que le lendemain serait organisé un Brains Trust que je devais présider en compagnie d'un autre passager qui était conférencier universitaire. Je suis allé voir le commissaire de bord et lui déclarai que si l'on avait pris le soin de me demander de tenir ce rôle, j'aurais sans aucun doute refusé. "Allons, soyez sympa", m'a-t-il rétorqué. Je lui expliquai que malheureusement, je n'étais pas du genre sympa. J'ai fait un petit portrait de moi en train de me mordre le doigt, seul face au miroir dans le cabinet de toilette de la cabine (p. 195). »

27 mai 2004

A près la séance d'hier, autour d'un dîner de maquereaux, de crevettes et d'une salade de champignons, et après un long

silence entre nous, je demandai à LF à quoi il pensait. « Je réflé-
chissais à votre oreille. »

Au début de la séance de ce soir, je lui demande de m'expliquer ce qu'il a voulu dire. « Je craignais l'avoir peinte comme un
peintre qui n'est pas moi, mais quand je l'ai examinée en revenant,
j'ai constaté qu'elle était satisfaisante – juste un peu sauvage. »

LF s'intéresse particulièrement aux oreilles, qui ressortent
nettement dans ses images de personnes (tout comme les parties
génitales dans ses portraits nus). Une des choses qui l'ont séduit
dans *La Jeune Maîtresse d'école* de Chardin était son oreille (p. 196).
Elle a, dit-il, « la plus belle oreille de toute l'histoire de l'art ».

…

Même s'il a poussé l'audace parfois jusqu'à l'imprudence –
notamment dans sa jeunesse –, il y a chez LF une limite à la quête
de toutes les variétés possibles d'humanité. Il me parle par exemple d'un certain Eddie the Killer, qui l'a de toute évidence fasciné
au début des années 1960.

« Même les criminels de Paddington que je connaissais
avaient peur de lui. "Ne fricote pas avec le Killer, Lu." Il n'a jamais
été arrêté pour les meurtres qu'il a commis parce qu'ils étaient
totalement dépourvus de mobile. Il avait acquis des biens immo-
biliers et des entreprises avec l'argent qu'il avait gagné en exer-
çant des menaces et en commettant des cambriolages. Je me souviens qu'un jour, je l'avais rencontré à Mayfair alors que je me
rendais dans une galerie de Bruton Street, et il m'avait dit qu'il
possédait plusieurs maisons dans cette rue qui déjà à l'époque
devaient valoir beaucoup d'argent.

« Il s'intéressait à l'art et un de ses associés, Charlie, devint
marchand de tableaux. Un jour, je les ai rencontrés dans un pub
alors que Charlie était venu lui montrer des tableaux. Charlie
n'arrêtait pas de dire Killer ceci, Killer cela ; "Mets un peu le
Tueur en veilleuse", lui dit Eddie, puis, se tournant vers moi : "Je

fais plus ce genre de conneries, Lu." C'était un psychopathe. Il me disait souvent : "T'es un drôle de loustic, Lu. Tu ne m'as jamais dit où tu habitais." Je m'en étais bien gardé. Comme lui-même vivait dans une maison à Londres où Thomas Hardy avait autrefois vécu, je lui offris une édition rare de Hardy. J'appris qu'au premier étage de cette maison, il y avait une pièce où le frère d'Eddie s'était pendu. Elle était toujours fermée et il n'y entrait jamais. J'ai envisagé de peindre le portrait d'Eddie, et puis je me suis dit que je ferais peut-être mieux de m'abstenir. »

15 juin 2004

Nous avons décidé que nous allions faire des séances l'après-midi pour hâter l'achèvement du tableau. De temps à autre, LF m'invite à déjeuner : côte d'agneau froide aux pommes de terre et petits pois, arrosée d'un verre de rosé ; rillettes et jambon à la purée d'olive. Aujourd'hui, c'est de la langue, un plat démodé dont LF me dit qu'il est fort amateur. Je décline sa proposition de champagne ou de rosé, car il fait trop chaud pour boire à la mi-journée.

Je l'interroge sur l'habitude qu'il a de laisser des parties de la toile vierges alors qu'il pourrait aisément les recouvrir de peinture. « Cela complique la recherche des tonalités, ce qui, d'une certaine manière, m'aide. J'aime à penser que tout dans le tableau est modifiable, effaçable et provisoire. Laisser des zones vierges m'aide à ressentir cela. »

Cet après-midi pourtant, il a peint les angles inférieurs qu'il n'avait pas touchés jusqu'alors, de sorte que la veste paraît quasiment terminée. Cela signifie-t-il que la fin du tableau est en vue ? Je me doute qu'il y aura encore au minimum plusieurs séances. A la fin de la séance précédente, j'ai, sans y songer, parlé du visage comme s'il était achevé. « Il n'est certainement pas terminé, a-t-il rétorqué, même s'il paraît presque fini. » Et il a ajouté, de manière vaguement inquiétante, que le tableau du cheval, qui dans son esprit est lié au mien, « a commencé de manière aussi brutale qu'il s'est terminé. Celui-ci va de plus en plus loin ».

LF a entrepris d'arranger mes écharpe, chemise et veste, surtout l'écharpe, marmonnant des choses telles que : « Ah, oui, je vois. » Plutôt que de se contenter de peindre mes vêtements, il cherche le moyen d'en faire une architecture visuelle : « Je peins les vêtements dans les portraits parce que les gens portent des vêtements, mais je veux aussi qu'ils contribuent au tableau. »

Aujourd'hui, il a ajouté des ombres à l'écharpe et à la veste. Au début de la séance, il a considéré le tableau et déclaré : « Oh, j'ai beaucoup avancé cette fois. A présent je l'accepte beaucoup mieux. »

16 juin 2004

Nous avons repris les séances du soir. LF a montré le tableau à Edward King, directeur de l'Abbot Hall Art Gallery de Kendal, qui a paru impressionné. Il a sauté sur place en s'exclamant : « C'est tout à fait Martin ! » – tout comme les modèles de LF finissent par dire : « C'est moi tout craché ! »

A vrai dire, et même si je ne suis pas loin d'éprouver cette sensation, il y a un ou deux détails sur lesquels je m'interroge, comme par exemple le nez. Le mien est légèrement tordu, alors que celui du tableau paraît à la fois plus de travers et plus proéminent qu'il ne l'est en réalité. Je suppose qu'il a été agrandi et que LF lui a conféré une sorte d'énergie baroque pour améliorer le tableau (plutôt que la ressemblance).

Ce n'est en aucune façon une sensation aussi déstabilisante que celle éprouvée par un personnage d'une nouvelle de Gogol, qui s'aperçoit à son réveil que son nez l'a quitté pour vivre sa propre existence. Son nez se promène dans Saint-Pétersbourg en manteau et chapeau, affirmant qu'il est un fonctionnaire de haut rang, pendant que son propriétaire rase

Paul Gauguin, *Van Gogh peignant des tournesols*, 1888

les murs, un mouchoir dissimulant le vide embarrassant qu'il a au milieu du visage.

Se voir attribuer le nez de quelqu'un d'autre dans un tableau est loin d'être aussi pénible. Je suis bien conscient que mon nez, même s'il me satisfait parfaitement pour l'usage que j'en fais, ne remplit pas tout à fait le rôle visuel dynamique que LF entend lui faire jouer dans le tableau. Il veut en vérité qu'il s'épanouisse au centre de l'image. En fait je le soupçonne de m'avoir donné son propre nez.

Je mentionne une théorie que j'ai élaborée au sujet du portrait de Van Gogh par Gauguin, *Van Gogh peignant des tournesols* (p. 201), réalisé à l'automne 1888 alors que les deux hommes vivaient ensemble à Arles (et que leur relation était en train de se dégrader). Le tableau est profondément différent des autres représentations connues de Van Gogh, du point de vue de la couleur des cheveux, de la forme du visage, de la courbure du nez – de toutes sortes de détails. En réalité, me semble-t-il, il ressemble beaucoup plus à Gauguin lui-même. LF convient que c'est tout à fait possible, même si c'est probablement inconscient, car il arrive souvent que les peintres représentent les autres d'après eux-mêmes.

Elément important de la géographie faciale, le nez est tout particulièrement intéressant pour un portraitiste. Mais au-delà de cet aspect, il me semble que LF est attiré par des éléments anatomiques qui, tout comme la personnalité des modèles qu'il affectionne, sont à la fois singuliers et convolutés : oreilles, nez, parties génitales ou orteils. Un jour que nous parlions du *Diane et Actéon* de Titien, il s'interrogea tout haut : « Comment Titien pouvait-il si bien connaître cette nymphe particulièrement splendide assise sur la margelle de la fontaine dans *Diane et Actéon* ? Nous la reconnaissons immédiatement à ses stupéfiants orteils. » Manifestement, LF *serait capable* de reconnaître quelqu'un à ses pieds.

Cela fait écho à ses goûts culinaires. Il choisit souvent des fruits de mer – une *zuppa di pesce*, par exemple, ou des moules

Pluto Aged Twelve, 2000

Lucian Freud avec un renard, 2005

marinière –, extrayant minutieusement les créatures complexes de leur coque ; il mange aussi fréquemment du gibier, qu'il aime pour son côté sauvage : là encore, un trait qu'il apprécie également chez ses modèles.

...

Nous parlons des animaux, auxquels s'intéresse beaucoup LF, même s'il ne serait pas tout à fait exact de le qualifier d'amoureux des bêtes. Il a des réactions nuancées mais fortes devant les différentes personnalités animales (tout comme il en a à l'égard des humains). Il voue une véritable passion aux chevaux, mais il trouve les chats, par exemple, irritants. « Je n'aime pas leur air chichiteux d'indépendance, ni leur façon de venir s'installer sur vos genoux avec l'air de dire : "Maintenant tu peux me caresser." »

Il a souvent peint des chiens et en a possédé plusieurs. Feu Pluto a été au fil des ans le modèle d'un certain nombre de peintures et de gravures (p. 203), seul ou en compagnie d'êtres humains. Désormais Eli, le chien de David Dawson – et ancienne connaissance de Pluto –, est un modèle tout aussi fréquent. Mais LF a le sentiment que les chiens et lui ne sont pas totalement compatibles.

« La seule chose que je n'aime pas chez les chiens, c'est leur soi-disant dévotion canine. » On s'aperçoit vite qu'il les trouve probablement un peu collants ; mais d'un autre côté, il admet ne pas faire un maître idéal. « J'ai vraiment dû faire vivre une vie de chien aux chiens que j'ai eus, parce que j'ai les habitudes et la routine en horreur, alors que c'est précisément ce qu'apprécient les chiens. Ils aiment tout ce qui se reproduit chaque jour à heure fixe, or moi je ne refais jamais la même chose chaque jour. J'ai des horaires, mais aucune routine. »

Pourtant, la rencontre d'un canidé sauvage lui a fait sentir qu'il avait rencontré là un esprit hostile et, à sa façon, redoutable. « Un jour je me promenais dans une petite rue des environs

Lobster, 1944

quand j'ai aperçu devant moi un très gros renard, si gros qu'il devait avoir du sang de chien loup. Il avait des touffes de poils grisâtres. M'entendant approcher derrière lui, il a tourné la tête et m'a fixé d'un air mauvais. Il avait l'air furieux. Je me suis dit : "Bon !" J'ai pris ça comme un défi et accéléré mon allure pour le rattraper. Il a finalement disparu en se faufilant sous la grille d'une usine. »

D'autres animaux apparaissent ici et là dans l'œuvre de LF en compagnie de leur propriétaire. « J'avais une petite amie autrefois, en Ecosse, qui possédait un rat blanc de laboratoire. Elle le trimbalait dans son corsage. Comme moi aussi j'en avais un, ça créait une sorte de lien entre nous. Elle avait également un singe, qui dormait sur ma tête quand je restais chez elle. Je n'aimais pas beaucoup ça. »

Pour ce qui est des séances de pose, il faut prendre en compte, comme pour les humains, certains aspects pratiques. Les chiens de LF ont toujours volontiers posé pendant qu'il faisait leur portrait : « Ils sont dressés pour ça. » Il aime également les cochons, dont il apprécie la tranquille autonomie. Mais comment les faire poser ? Il a envisagé d'en élever dans son jardin, mais s'est dit qu'ils allaient tout ravager, que ça sentirait mauvais et que les voisins se plaindraient. Ce qu'il lui faudrait, c'est un élevage de porcs pas trop éloigné de Londres dans lequel il pourrait travailler tranquillement, mais c'est là quelque chose qui n'est pas facile à dénicher. Pourtant le portrait freudien d'un cochon serait sans nul doute quelque chose de fascinant.

Ce sont des considérations similaires qui expliquent que des cadavres non humains apparaissent très fréquemment dans les œuvres de LF du milieu des années 1940. « Quand j'étais jeune, j'avais du mal à obtenir des modèles vivants, ce qui explique sans doute pourquoi j'ai dessiné et peint un si grand nombre d'animaux morts. »

Les crustacés, comme les huîtres par exemple, feraient de magnifiques sujets de nature morte pour lui. Il en convient, mais les conserver durant le long processus de pose deviendrait vite problématique. Autrefois, il a peint des homards (p. 206) et des crevettes, mais les œufs sont mieux adaptés à sa méthode.

…

Ce soir il couvre les zones vierges qui subsistaient dans la partie supérieure du tableau, mais commence d'abord par repeindre la veste. « Pour avoir vu le tableau à la lumière du jour – ce que je ne fais généralement pas quand il s'agit d'un tableau que je peins le soir – je me suis aperçu que ce n'était pas la bonne tonalité. C'est beaucoup mieux ainsi. Maintenant je vais pouvoir poursuivre. » Je dois reconnaître que je ne vois pas très bien ce qui a changé.

A présent il ne reste qu'une mince bande de toile blanche entre l'écharpe et la chemise, qui sera très probablement annexée par la chemise. L'écharpe est quelque chose de pratiquement inédit dans son travail. « J'ai toujours refusé les belles couleurs dans ma peinture, de celles qui font dire aux gens : "Tu sais, le tableau qui a de si belles couleurs", mais ce bleu est vraiment beau. »

22 juin 2004

LF a été à Paris et il a beaucoup apprécié son voyage, « même si en règle générale, il n'y a nulle part où j'aie envie d'aller ». Ce soir, à nouveau, il reprend légèrement la veste, modifiant la ligne de l'épaule gauche. Je fais remarquer qu'il semble rencontrer quelque difficulté sur ce point. « Oh, il m'arrive parfois de passer des semaines et des semaines à repeindre l'angle d'une pièce par exemple. » Il dit cela d'un ton enjoué. Autant j'ai pris plaisir à tout le processus, autant mon désir de le voir se terminer au plus vite devient de plus en plus vif. Il repeint ensuite le col de la chemise, ôtant au passage une ombre plutôt réussie sur la gauche qu'il a du mal à refaire ensuite.

« Elle était bien faite, mais un peu grossière, et je n'aime pas peindre de manière grossière. Ça se passe comme ça depuis le début avec ce tableau. Je commence à peindre quelque chose d'assez approximatif, et j'y reviens pour le refaire plus soigneusement. »

Bien que la peinture ne soit généralement pas considérée comme un art conceptuel, une bonne part de l'activité de LF au cours des séances relève en fait de la pure réflexion. Chaque coup de pinceau est pensé au préalable, évalué lorsqu'il est appliqué, et au besoin modifié ou effacé. Cela fait naturellement partie du processus normal. Ce qui est peut-être inhabituel chez LF, c'est son obstination à le répéter encore et encore – examiner, juger, modifier, à nouveau examiner, etc. – jusqu'à ce que le résultat le satisfasse. C'est ce qui explique la période de gestation extraordinairement longue de chaque œuvre. « L'unique secret que je puisse prétendre détenir, dit-il, c'est la concentration, et c'est quelque chose qui ne peut s'enseigner. »

...

Comme les acteurs, les politiciens sont une catégorie de personnes que LF a connue, mais n'a pas peinte. « Un politicien que j'ai un peu fréquenté et que je trouvais sympathique, c'était Hugh Gaitskell. Je sortais en boîte avec lui. Il éprouvait une grande passion et était peut-être même amoureux d'une femme qui était une grande amie à moi : Anne Fleming. Nous allions danser à l'Annabel, qui venait tout juste d'ouvrir. Une chose que j'aimais chez Gaitskell, c'est qu'il était imprudent.

« "Vous pensez vraiment que je peux fréquenter les night-clubs ?" me demandait-il. Bien sûr que oui, lui disais-je. Et donc nous y allions. Je lui ai demandé, ce qui était assez vache, s'il pensait vraiment devenir Premier ministre. "Chaque chose en son temps", m'a-t-il répondu, ce qui m'a paru être une bonne réponse. » En fait, Gaitskell serait très probablement devenu Premier ministre après les élections de 1964, remportées finalement par le parti qu'il dirigeait, le Labour, mais il est mort subitement d'une maladie rare au début de 1963.

L'imprudence est une qualité inhabituelle chez les politiciens, qui en général doivent dissimuler leurs véritables sentiments, veiller aux mots qu'ils emploient et – comme les acteurs – faire mine de ressentir ce qu'ils ne ressentent pas. Elle est liée à une autre qualité que LF admire, et qu'il évoque à l'occasion d'une conversation à propos d'un ami peintre que nous avons en commun. « Il possède une qualité que seuls les meilleurs et les pires des hommes possèdent : il est absolument insensible à la honte. » C'était le cas de Francis Bacon, comme cela ressort clairement de son comportement le jour où LF l'emmena à Warwick House, domicile du magnat de la presse et politicien conservateur Esmond Rothermere.

« A une certaine époque, j'y allais très souvent, durant la période où mon amie Anne Fleming fut l'épouse d'Esmond, pour des déjeuners ou des soirées. Un jour j'y ai emmené Francis Bacon, qui était déjà très ivre. La princesse Margaret – alors considérée comme la femme la plus belle et la plus glamour du moment – se mit à chanter, très mal, accompagnée au piano par Noel Coward. Francis commença à chahuter, ce qui déclencha la fureur des autres participants. Binkie Beaumont, le manager de théâtre, était l'un des plus enragés. Comme c'était moi qui avait amené Francis, ils se retournèrent contre moi et me le reprochèrent. Ma réaction, bien entendu, fut de prendre fermement la défense de Francis.

« Lors d'une autre soirée à Warwick House, Randolph Churchill s'approcha de lui sur la piste de danse et, d'un ton agressif, lui demanda : "Quel genre de type êtes-vous donc ? — Ma foi, rétorqua Francis, je suis une tarlouze !" Randolph prit carrément la fuite. »

L'absence de honte est un trait que possédait également Leigh Bowery, l'artiste performeur qui apparaît si souvent dans les œuvres de LF du début des années 1990 que son corps obèse et son crâne rasé incarnent toute une période de sa peinture. Ce fut une époque de vigoureux nus masculins qui me rappellent les études de nu de Rodin pour la statue de Balzac (dont une reproduction en plâtre occupe un coin de la cuisine de LF).

L'absence de honte peut être, pour le meilleur ou pour le pire, une sorte de qualité morale qui exige une certaine bravoure. On connaît la célèbre déclaration de LF à propos de ses amis homosexuels comme Bacon ou Bowery : « J'admire leur courage. » Il est facile de comprendre en quoi cette absence de honte peut être une caractéristique séduisante chez un modèle. C'est bien en vérité cette impression qui se dégage des tableaux de Bowery, ainsi que de ceux, postérieurs, que LF fit de l'amie de Bowery, Sue Tilley : aucune honte à être nu, aucune honte à paraître singulier, aucune honte à être obèse.

Bien entendu, la même absence de honte existait chez Eddie the Killer ou chez Ronnie Kray, que LF a également connu. « J'aimais Ronnie, pas son frère Reggie. Je trouvais que celui-ci n'était qu'une brute épaisse. Mais Ronnie disait des choses intéressantes, même s'il était, comme chacun sait, un meurtrier sadique. »

...

LF adore les bains : « Je prends deux ou trois bains par jour. » En cette chaude soirée, il déclare soudainement : « Je reviens dans une minute », pour réapparaître un peu plus tard se séchant les cheveux avec une serviette. Il m'explique qu'il se sentait un peu moite et qu'il a eu envie de prendre un petit bain rapide. Naturellement, en tant que modèle, vous faites partie de sa vie domestique. Il y a presque toujours des modèles chez lui, jour après jour, année après année ; l'existence ordinaire se poursuit autour d'eux. Mais cette toilette impromptue est peut-être le signe que l'achèvement imminent du tableau rend LF aussi nerveux qu'il me procure du soulagement. C'est aussi un exemple de la façon dont il se débarrasse de tout élément susceptible de le distraire : la trop grande mollesse de la toile, ou le fait d'avoir lui-même trop chaud et de transpirer. Pendant qu'il s'absente de la pièce, je remarque combien le tableau paraît carré et puissant lorsque les lumières sont éteintes. Dans la quasi-obscurité, il dégage une forte présence.

Après le dîner, comme il s'est mis à pleuvoir, LF m'accompagne jusqu'à King's Cross dans son taxi et me dépose à un endroit peuplé d'ivrognes, de mendiants, de prostituées et de gens s'apprêtant à regagner leur banlieue après une soirée au théâtre. LF trouve le lieu « très vivant ». Il ignorait à quel point le quartier était animé et se promet d'y revenir. Pour un peintre je suppose que cette scène urbaine est un vivier de sujets potentiels.

30 juin 2004

Aujourd'hui, LF s'est brusquement interrompu en disant : « Je me sens très nerveux ». Puis il est descendu à la cuisine se préparer un énorme jus de carottes maison. « J'espère que ça va améliorer ma perception des couleurs. » S'il a les nerfs à fleur de peau, diagnostiqué-je, c'est parce que le tableau semble désormais très proche de son terme.

Les dernières séances ont été principalement consacrées à retoucher mes épaules. A un moment, il y avait un problème sur celle de gauche, et une différence de niveau entre les deux, mais il a jugé cette dernière « imperceptible ». Le revers de la veste apparut pour disparaître aussitôt puis réapparaître. A présent, on distingue la ligne séparant la manche de l'épaule. « Plus j'accumule les couches sur la veste, mieux cela montrera qu'elle est différente du reste. »

« J'avais très envie de faire quelque chose, à savoir mettre une ombre plus foncée sur ce côté-ci du visage, pour en accentuer la rondeur. A présent c'est fait. » Mes deux oreilles ont également été repeintes. LF explique qu'il a fait figurer certaines parties des oreilles qui ne sont en réalité pas visibles depuis l'endroit où il se tient, ce qui explique pourquoi il se penche régulièrement en avant pour examiner le côté de ma tête. A la fin de la séance précédente, il a déclaré qu'« il n'en restait qu'une ou deux avant la fin ». Celle de mercredi n'a cependant pas été la dernière, pas plus que celle de samedi.

Lundi : « Je l'ai examiné de très près, et maintenant je sais ce que je veux faire. » Je suis tout près de perdre patience, mais d'un autre côté je ne peux nier qu'il ne cesse d'améliorer la précision et l'impact du tableau.

Mardi, le col de la chemise et la chemise elle-même deviennent plus nets. LF ajoute quelques touches à l'écharpe et fonce un peu le fond. Il a décidé de ne pas épaissir les coups de pinceau très légers qui le composent, car « si je le faisais, cela projetterait trop la tête en avant ». David Dawson vient prendre une photo et ouvre les volets. Le flot de lumière qui envahit l'atelier me déconcerte car je n'ai jamais vu les volets ouverts auparavant. L'ambiance matricielle de la pièce s'en trouve aussitôt dissipée.

…

Quand je lui demande la raison pour laquelle il a fait un si grand nombre de tableaux de Leigh Bowery, LF répond que c'était parce qu'il le trouvait « très beau ». Ce genre de qualité est et n'est pas objectif. Dans les tests psychologiques, il semble que quels que soient sa nationalité, son sexe et son origine ethnique, toute personne considère séduisants les mêmes visages photographiés. Cependant, cette objectivité diminue fortement lorsque les personnes sont physiquement présentées les unes aux autres. Plus elles passent de temps ensemble, moins il y a d'accord objectif.

En pratique, l'attractivité dépend à un degré surprenant de l'individualité d'une personne donnée. Parmi les gens mariés à des jumeaux identiques, seuls 10% déclarent qu'ils auraient pu tomber amoureux de l'autre jumeau – alors qu'il est quasiment impossible de les distinguer visuellement. Cela correspond tout à fait au point de vue de LF. Il n'aime pas que l'on déclare à propos de telle ou telle personne qu'elle a, disons, de beaux yeux, jambes ou seins. « Il me semble que quand on a envie d'être avec quelqu'un, on trouve que *tout* dans cette personne est érotique. »

Quand il a eu l'occasion de rencontrer l'une des beautés les plus célèbres du monde, il semble qu'il ait trouvé que son apparence faisait dans une large mesure partie de sa personnalité excentrique. Lors d'un des déjeuners à Warwick House, LF a rencontré Greta Garbo, dont le visage a sans doute été l'un des plus somptueusement romantiques du milieu du XXe siècle.

« Comment l'avez-vous trouvée ?

— Je l'ai trouvée splendide, mais aussi très stupide. Vous savez à quel point les Scandinaves peuvent être bêtes, n'est-ce pas ? Alors que nous franchissions le pont de Westminster, elle a demandé qu'on arrête la voiture car elle avait envie de marcher pieds nus sous la pluie. Je me suis dit que nous ne pouvions faire autrement que de sortir aussi, et mon plus beau costume s'est retrouvé trempé. Ça n'était certes pas la fin du monde, mais c'était contrariant.

« Elle avait ce côté idiot, mais en même temps elle avait un sens instinctif du style. Un jour elle a voulu se faire couper les cheveux. Elle est donc allée chez Selfridges, s'est assise sur un petit cheval à bascule et s'est fait faire une coupe de petit garçon. Ce n'était pas très raffiné, mais c'était parfait pour elle. Je ne la trouvais pas attirante physiquement, car je crois que pour ça l'autre personne doit également être attirée par vous. Mais je me souviens que lorsque j'ai été la voir dans sa loge, elle m'a invité à m'asseoir en tapotant le sofa tout près d'elle – un geste typiquement scandinave – et je me suis dit "Mon Dieu, c'est excitant d'être assis aussi près de cette belle femme". »

Garbo aurait-elle pu poser pour LF ? C'est possible, mais sans doute plus en raison de sa stupidité et de son sens du style que pour sa beauté.

…

A présent le tableau est pratiquement terminé ; à vrai dire, je croyais pour ma part qu'il l'était totalement et définitivement, mais j'accepte de poser encore une heure ou deux dimanche prochain, après quoi nous irons dîner avec ma femme et mes enfants. Ce devrait être la toute dernière séance.

4 juillet 2004

L a séance commence en fin d'après-midi. Depuis quelque temps je réfléchis à la possibilité de me porter volontaire comme modèle pour une nouvelle œuvre, peut-être une gravure. D'un côté, je suis immensément soulagé de voir que le marathon du tableau est en train – du moins, j'en ai l'impression – de s'acheminer vers son terme. Mais d'un autre côté, le processus est captivant. Mon intérêt est toujours aussi vif. J'ai envie de voir un nouveau portrait émerger peu à peu.

Lorsque, non sans hésitation, je mentionne à LF que je serais disposé à poser à nouveau, il s'avère qu'il avait plus ou moins prévu de poursuivre les séances avec moi pour exécuter une gravure. Il déclare même que s'il nous reste du temps ce soir une fois que le tableau sera terminé, il commencera peut-être le dessin pour la gravure. Cet empressement à passer aussitôt à autre chose est tout à fait caractéristique. Quand une œuvre est terminée, une autre débute, avec le moins de temps possible entre les deux. C'est psychologiquement une bonne méthode chez quelqu'un dont le travail s'apparente à une série successive de projets créatifs : elle permet d'éviter la déprime qui suit l'achèvement d'une œuvre et les difficultés que soulève toujours le fait d'en attaquer une autre.

En l'occurrence, il n'y aura aucun temps mort entre les deux projets. A 18h35, LF déclare : « Je suis en train d'apposer les dernières touches. » Bientôt je me lève, il s'arrête de peindre, nous bavardons quelques instants, puis il dit : « Je crois que je vais juste reprendre cette partie du col de la chemise. » Je me rassieds, il se remet à peindre et je commence à me demander combien de temps cela va durer. Et puis, brusquement, il annonce : « Je crois que je vais m'arrêter là. » Et voilà, c'est terminé.

…

Le tableau est achevé. Je trouve, même si cela n'a guère à voir avec sa qualité, qu'il me ressemble. Lorsque, quelques minutes après que LF a posé ses pinceaux, Josephine sonne à la porte et fait son entrée avec Tom et Cecily, elle remarque que sur la photo d'atelier (p. 217) qu'a prise David Dawson, le portrait me ressemble plus que je ne ressemble à moi-même (ou plutôt qu'il me ressemble plus que la photo ne me ressemble).

Et je me retrouve parfaitement dans le portrait. En fait, je ressens la même impression qu'a décrite, dans le film de Jake Auerbach et Bill Feaver, une femme ayant posé pour LF. Elle disait avoir l'impression que la jambe du tableau était réellement sa propre jambe. Après une brève discussion, le tableau se voit attribuer un titre. La plupart des titres des portraits de LF ne mentionnent pas le nom du modèle. Dans le cas du mien, le titre s'impose plus ou moins de lui-même : *Man with a Blue Scarf* (L'homme à l'écharpe bleue). C'est bien de cela qu'il s'agit.

Man with a Blue Scarf (p. 218) est en partie, je crois, une représentation de ma propre fascination devant le fait d'être peint. Je retrouve l'intensité de cet intérêt dans le tableau. C'est moi regardant LF me regarder. Mais du fait que les bons tableaux peuvent être plusieurs choses à la fois, il contient aussi un aspect de LF lui-même. D'ailleurs, sur la photo de David – où LF, debout à côté du chevalet avec sa palette et ses pinceaux, ressemble à quelque magicien –, la peinture que l'on aperçoit derrière semble avoir le même regard perçant et le même visage creusé que celui de son créateur.

Peut-être n'est-ce finalement guère étonnant. Dans sa courte étude *Avant et après*, Gauguin émet une remarque qui pourrait s'appliquer à son portrait de Van Gogh – et peut-être au mien par

Lucian Freud, *Man with a Blue Scarf* et Martin Gayford, 14 juin 2004

Man with a Blue Scarf, 2003–2004

LF : « Tableaux et écrits, dit-il, sont des portraits de leurs auteurs. » En d'autres termes, toutes les œuvres picturales et littéraires reflètent l'esprit de ceux qui les ont créées. Selon la théorie de Gauguin, *Man with a Blue Scarf* est autant une image de LF que de moi-même. De même, je suppose que les notes que je suis en train de coucher sur papier, exprimant mes réflexions et impressions de lui, sont aussi, accessoirement, une sorte d'autoportrait.

Man with a Blue Scarf est peut-être aussi le résultat d'une rencontre. De nombreux éléments sont inclus dans cette image : temps, humeurs passagères, sentiments. C'est un résumé de toutes ces heures de conversation, et de tout ce temps simplement passé à être ensemble, en silence, dans cette pièce.

…

Lorsque Josephine et les enfants ont fini d'admirer le portrait, nous montons dans le salon de LF pour boire le champagne, puis nous prenons un taxi pour aller au Wolseley. En chemin, LF – et c'est bien dans sa manière – aborde le sujet des chèvres. Il a été voir *The Goat, or, Who is Sylvia ?*, la pièce d'Edward Albee qui parle d'un architecte tombé amoureux d'une de ces créatures. LF explique qu'il s'y connaît un peu en matière de chèvres pour en avoir gardé quelques-unes à Dartington. Il apparaît qu'il éprouve un certain respect pour ces animaux, qui n'a cependant rien à voir avec la chaleureuse sympathie qu'il a pour les chevaux. Il trouve que ce qui est décrit dans la pièce ne donne pas la moindre impression de « chèvritude », et que l'auteur fait preuve d'une totale absence de compréhension de ce qu'est le comportement d'une chèvre.

LF parle du duc de Wellington avec Tom, qui a douze ans, et cite la solution laconique que le grand général avait trouvée au problème des étourneaux qui infestaient le Crystal Palace durant la Grande Exposition de 1851 : « Des éperviers. » Toute la soirée baigne dans une douce ambiance de célébration.

août 2004 - avril 2005

Après une interruption d'un mois, et des vacances, nous avons repris les séances en vue d'une gravure. Mais ce n'était plus pareil. Avec le changement de support, tout s'est modifié – y compris moi. J'étais préoccupé par mon propre travail, le livre sur Van Gogh à l'écriture duquel je me consacrais désormais chaque jour. Il m'occupait l'esprit, ce qui explique sans doute que j'aie pris beaucoup moins de notes sur les séances, et par conséquent – peut-être – que je me souvienne moins bien de ce qui s'est passé.

Au fil des semaines, les séances se firent de plus en plus silencieuses car nous avions de moins en moins de choses à nous dire. Ce n'était pas un silence embarrassant, mais complice. L'ambiance était toutefois très différente de celle qui régnait lors des séances en soirée du printemps précédent.

Nous avions convenu de séances dans l'après-midi, ce qui me laissait le temps de travailler le matin à Cambridge avant de prendre le train pour Londres. D'ailleurs, l'après-déjeuner est toujours un moment de la journée plutôt paisible, alors que la soirée comporte toujours un soupçon d'excitation : nous étions tous deux assez fatigués, et nous nous laissions doucement entraîner vers ce moment de relâchement en fin d'après-midi durant lequel LF se repose. A la place du verre de rosé, nous buvions généralement du thé vert aux alentours de 16 heures.

Ce fut toutefois une nouvelle leçon sur les difficultés de l'art du portrait. Après avoir été au final très heureux d'accepter *Man with a Blue Scarf* comme une image de moi-même, je trouvais dès le départ la nouvelle œuvre légèrement étrangère et inattendue. J'y vis la démonstration de la remarque de Van Gogh citée plus haut, selon laquelle « la même personne peut fournir le matériau de portraits très divers ».

Si *Man with a Blue Scarf* est un portrait social – dans lequel j'ai le regard dirigé vers l'extérieur, je fais face à mon environnement –, celui de la gravure en est, ce qui n'est guère étonnant au

Martin Gayford et Lucian Freud, 2005

vu des circonstances de sa composition, l'exact opposé : à la fois contemplatif et tendu.

Durant la première séance, LF traça puis effaça successivement deux dessins à la craie sur la plaque de cuivre. Les ayant aperçus avant leur disparition, j'émis la remarque que cela allait être tout à fait différent de *Man with a Blue Scarf*, qui avait été expédié au marchand new-yorkais de LF afin d'être vendu.

« Oh oui, répliqua LF avec fermeté, très différent. » Au fil des séances, je compris ce qu'il avait voulu dire. Cela allait différer du portrait peint sous tous les aspects, et pas seulement celui du support.

Pour cette gravure, je posais en plein jour, assis sur un tabouret, face à la lumière qui entrait par une grande fenêtre à l'arrière de l'atelier. En soi, cela donnait à toute l'affaire un côté moins intense et plus méditatif que les séances du soir.

LF semblait satisfait de cet agencement. « Je pense, dit-il à la fin de la deuxième séance, que j'ai fait accidentellement un bon dessin. » Il me parut pourtant qu'il me ressemblait beaucoup moins que celui qu'il avait tracé sur la toile avant de peindre mon portrait. Mon visage paraissait allongé – plus encore que sur le tableau, qui déjà l'allongeait légèrement – et une mèche oblongue de cheveux pointait sur un côté de mon crâne.

« Avez-vous changé ma raie de côté ?

— Non, ce sont des formes que je trouve dans les cheveux. » Plus il l'examinait, plus LF semblait fasciné par le désordre de ma chevelure.

…

La gravure est un langage visuel différent de la peinture. Certains des artistes qui s'en firent une spécialité, tels Jacques Callot au début du XVIIᵉ siècle et Piranèse au XVIIIᵉ, ne peignaient pratiquement pas. Quelques grandes figures, au premier rang desquelles Rembrandt, excellèrent dans les deux domaines. Rien ne garantit cependant que l'habileté dans l'un aboutira à la réussite dans l'autre.

Alors que la peinture consiste à apposer des pigments colorés sur une surface, la gravure consiste à ôter des copeaux de cire à l'aide d'un burin métallique. Les incisions du burin mettent à nu le métal qui se trouve dessous, de sorte que lorsque la plaque est plongée dans le bain, les lignes tracées dans la cire sont rongées et creusées par l'acide, le reste de la plaque, protégé par la cire, demeurant intact.

Ainsi, au départ, on a une plaque de métal qui a été recouverte d'un vernis résistant – généralement de la cire –, puis noircie, traditionnellement à la fumée de bougie. C'est une telle plaque qui était dressée sur le chevalet de LF. Tout a donc commencé par ce parallélépipède sombre et uni sur lequel des lignes métalliques brillantes apparurent peu à peu à mesure que LF creusait la cire.

Par rapport à la peinture, qui est aussi ancienne que la culture humaine, la gravure est une invention relativement récente. Elle est un produit de la Renaissance, qui fut une époque d'innovations techniques. La gravure est un mélange d'art et de chimie dans laquelle une image est produite à la suite d'une puissante réaction. De son bain corrosif, la gravure émerge comme un objet différent, et change une nouvelle fois lorsque la plaque est imprimée – stade auquel le dessin est bien entendu inversé et transformé, puisqu'il se présente non plus sous la forme de lignes brillantes de cuivre sur une surface noircie mais sous celle de traits d'encre noire sur du papier blanc : une métamorphose quasi alchimique.

LF a commencé à s'intéresser à cette technique assez tard dans sa vie ; la plupart de ses gravures ont été faites alors qu'il avait dépassé soixante ans. Et il l'a apprise, raconte-t-il, sur le tas. « Avant, je n'aimais que la première épreuve, rien d'autre, et j'avais l'impression que je ne savais pas ce que je faisais. Mais peu à peu, j'ai découvert différentes choses. Pour le portrait de Bruce Bernard, j'ai fait ses cheveux aux bains multiples plutôt qu'en les dessinant directement, et je me suis dit que là, j'étais vraiment en train de faire de la gravure ! » (La morsure dite à bains multiples est une méthode dans laquelle on laisse l'acide mordre la plaque, puis on interrompt le trempage et on recouvre d'une nouvelle couche de cire les parties que l'artiste souhaite laisser plus claires.)

Il ne voulait pas, dit-il, faire « le genre de gravure "Venez voir mes estampes japonaises" ». Cette fameuse formule, de la façon la plus sèche et la plus banale qui soit, promet à celui auquel elle s'adresse les activités les plus excitantes que l'on puisse imaginer. Or LF ne souhaite pas que ses gravures soient sèches ou banales – et elles ne le sont pas. Comme ses peintures, elles sont « énervées » ; elles dégagent une impression presque embarrassante de proximité physique.

LF s'est refusé à acquérir certaines techniques comme l'aquatinte – utilisée par Goya – qui aurait permis l'adjonction de zones d'ombre profonde, mais empêché ses gravures de donner l'impression qu'il recherche, à savoir que les traits gravés fonctionnent comme de la peinture.

Cette gravure de moi a eu en fait un précédent inattendu, tout comme *Man with a Blue Scarf* est en quelque sorte né de l'arrière-train d'un cheval. « Je ne crois pas que j'aurais pu travailler sur cette gravure de la façon dont j'y travaille si je n'avais pas fait auparavant celle du jardin. C'est plus une question d'ordre physique – je pense moins aux lignes qu'aux formes. »

…

La sélection et le nettoyage des pinceaux ainsi que le mélange des pigments constituent un rituel permanent dans le processus de peinture. Avec la gravure, c'est celui de l'aiguisage de l'outil sur une pierre, cinq ou dix fois par séance. LF aime graver des lignes très fines et trouve que le poinçon s'émousse rapidement.

LF posait la boîte contenant son matériel de gravure sur un tabouret ajustable à coussin de peluche rouge – originellement destiné à lui permettre de se reposer de temps à autre. Au lieu de cela, LF restait constamment debout, ne cessant de sautiller d'avant en arrière. Comme la peinture, la gravure telle qu'il la pratique est un processus hautement physique, mais plus méticuleux – d'où la nécessité de porter des lunettes. Les mettre, les ôter, les égarer et les retrouver font également partie du rituel.

Le fait de poser pour une gravure m'a mieux fait comprendre en quoi l'atelier d'un artiste est un théâtre de lumière. En grec ancien, le mot *theatron* signifie « endroit pour regarder ». Le spectacle qu'on allait voir n'était pas nécessairement une pièce. Plus tard, on a parlé de théâtre d'opération, où l'on exposait le patient à opérer, ou de théâtre de conférence. A la Renaissance, on évoqua les « théâtres de la mémoire » dans lesquels le contenu de l'esprit était disposé dans des paysages imaginaires pour en faciliter la mémorisation.

A l'évidence, un « endroit pour regarder » définit exactement ce qu'est un atelier d'artiste. C'est une pièce consacrée à l'observation d'un objet dans des conditions soigneusement contrôlées. Historiquement, le développement de l'atelier d'artiste est intimement lié à la distribution de la lumière, d'où les hautes fenêtres et l'orientation au Nord. Celle-ci procure une lumière plus constante et plus fiable, sans les variations dues à l'aube ou au crépuscule, ni les trop grandes différences de luminosité entre le matin et l'après-midi.

Tout atelier, et c'est le cas de celui de LF, ressemble plus à un théâtre d'opération qu'à un théâtre au sens propre. Il est conçu pour que l'objet à observer, en l'occurrence moi, soit visible le mieux possible et, surtout, de la manière la plus constante et uniforme possible. Aussi la qualité et la direction de la lumière sont-elles d'une importance fondamentale. Dans une très large mesure, c'est la lumière qui fait l'image. Si elle change, l'image change aussi. Tout comme LF voulait que ma tête soit exactement à la même place d'une séance à l'autre, de même voulait-il que la lumière, dans la mesure du possible, soit identique. Le fait de passer de la partie avant de l'atelier, où s'étaient déroulées les poses du soir pour le tableau, à la partie arrière éclairée par la lumière du jour modifia radicalement les règles et l'atmosphère des séances.

Les peintres ont avec la lumière un rapport qui est le même que celui des marins avec le temps, ou des charpentiers avec le bois. C'est la matière même de leur travail. LF a des goûts arrêtés en ce domaine. Sur le plan personnel, mais pas professionnel, il aime les lumières changeantes.

« Mon idéal climatique est le temps de Dublin. J'aime les temps qui changent rapidement – il fait soleil pendant dix minutes, puis arrive un nuage. Pour moi, un ciel bleu toute la journée serait absolument horrible. Mais pour travailler, j'aime une lumière nordique froide, claire et constante. De hauts nuages clairsemés me conviennent parfaitement. Quand j'ai lu quelque part que l'atelier de Van Gogh dans la Maison Jaune était exposé au Sud, je me suis dit qu'il était vraiment fou. »

La lumière de l'ampoule électrique qui éclairait le portrait du soir, *Man with a Blue Scarf*, avait l'avantage d'être absolument constante – même si LF se préoccupait toujours de savoir si la porte donnant sur la pièce adjacente était ouverte ou non, et la lumière dans ladite pièce allumée ou pas, car cela altérait légèrement le jeu des ombres et des reflets lumineux. La lumière naturelle, en revanche, est sans cesse fluctuante – soudain plus vive, puis atténuée, ou obscurcie par un ciel bas.

La subtilité de l'incidence de la lumière, et son résultat sur la plaque, était une source permanente de préoccupation. L'ensoleillement et l'état du ciel devinrent un sujet récurrent de conversation. « Cette lumière est magnifique ! » s'exclamait à un moment LF d'un ton enthousiaste. Puis, dix minutes plus tard, un nuage masquait le soleil, ou le crépuscule commençait à tomber. LF devenait peu à peu une ombre noire découpée sur la fenêtre ; il avait de plus en plus de mal à me voir. Lorsqu'il travaillait, il était placé à contre-jour par rapport à moi, ce qui le

La plaque de gravure, 2005

faisait beaucoup ressembler à la silhouette de lui-même qu'il a peinte il y a un demi-siècle dans *Hotel Bedroom* (1954).

Au début, ma tenue n'avait pas semblé avoir beaucoup d'importance, puisque la gravure n'était évidemment pas en couleur, et représentait à peine plus que mon visage. Mais au bout d'un certain temps, LF me demanda de porter à chaque séance une certaine chemise gris clair que je mets depuis une dizaine d'années et dont le tissu paraissait absorber la lumière.

« Si vous la portez, nous obtiendrons quelque chose de beaucoup plus subtil. » Les nuances de modelé qu'il cherchait à obtenir auraient été perturbées par un tissu à carreaux, des rayures ou même un gris plus soutenu. La réflectivité des surfaces semble être d'une importance capitale lorsqu'il grave.

Une gravure a quelque chose d'un pari, aspect qui a peut-être séduit LF, qui s'adonnait autrefois au jeu. Pour différentes raisons, il est toujours impossible de prévoir à quoi ressemblera le résultat. L'une de ces raisons tient à ce que l'image sur la plaque est à la fois inversée et en négatif. Ce que nous voyons sur la plaque, ce sont de fines lignes brillantes sur un fond noir. LF lui-même ne savait pas exactement ce que cela rendrait sur le papier ; quant à moi, je n'en avais aucune idée.

Une gravure est également sujette à d'autres dangers inattendus. En arrivant le lundi 20 décembre, je constatai que la plaque, qui était tombée du chevalet, présentait plusieurs éclats et estafilades. Elle avait dû heurter dans sa chute la pointe d'un tournevis ou quelque autre objet qui traînait par terre. Les chevalets de LF ont tendance à s'affaisser sous leur propre poids. Je craignais naturellement que la plaque ne fût perdue, et que toutes ces séances aient été accomplies en vain. Mais LF déclara qu'il pouvait aisément réparer les dégâts, en repassant une couche de cire, mais qu'il avait décidé d'attendre mon arrivée avant de faire quoi que ce soit. « J'ai toujours eu de la chance avec mes plaques, la plupart sont tombées à un moment ou à un autre, mais rares sont celles qui ont été vraiment abîmées. »

Après Noël, je reçus un coup de téléphone. « Quand souhaitez-vous fixer la prochaine séance ? » me demanda LF. Lorsque je proposai de reprendre après le Nouvel An, je perçus une pointe de déception dans sa voix. « Comment ? Pas avant ? » J'acceptai de poser le 31 décembre. Durant cette période, je travaillais chaque matin de façon intense à mon livre sur Van Gogh – que j'aurais dû remettre depuis pas mal de temps – et je ne pouvais arriver à l'atelier avant 13h30 ou 14 heures. Or, la lumière commençait à baisser peu après 15 heures.

Un jour qu'il faisait particulièrement sombre, nous ne pûmes travailler qu'une demi-heure. LF continua tant qu'il le put – plus une œuvre approche de son achèvement, plus son désir de la terminer se fait intense –, mais il finit par renoncer en disant : « J'ai l'impression que je fais semblant. » Pendant la séance précédente, comme durant celle-ci, il se consacra donc à l'arrière-plan. « Je ne peux pas m'occuper de vous mais en attendant je peux quand même faire quelque chose. »

Par une de ces journées maussades, je suggérai que nous allumions la lampe, tournée vers le mur de l'autre côté de la pièce, de façon à fournir juste assez de lumière pour qu'il puisse voir la plaque. Nous essayâmes, mais le résultat ne fut pas satisfaisant. Il trouvait que cela faisait briller de manière gênante les lignes creusées dans la plaque. « Quand je travaille, je veux pouvoir penser aux formes et ne pas être trop conscient des lignes. Je veux avoir l'impression d'être en train de peindre un tableau. »

En février, la gravure semblait toute proche d'être terminée. LF travaillait alors sur le cou et la chemise. Un vendredi après-midi, il grava des bajoues que j'ignorais posséder – une découverte qui n'est pas sans rappeler celle, déconcertante, que fit Andrew Parker Bowles de son estomac rebondi dans le tableau *The Brigadier*.

Les séances se transformèrent en un jeu de Un, deux, trois, soleil !, au cours duquel je m'efforçais de remonter les mâchoires de façon à faire disparaître mes bajoues ainsi que mon double menton naissant qui, je le sentais bien, intéressaient LF. Mais c'était un jeu auquel je ne pouvais que perdre. Un jour, voyant qu'il esquissait un pli de chair sous mon menton, je redressai insensiblement la tête et, dérouté, il effaça le pli.

Mais à la séance suivante, je l'entendis marmonner : « Ah, tant mieux ! » Je lui demandai ce dont il se félicitait. « Une forme est apparue, que je suis en train de reproduire. Elle est toujours là, mais on ne la distingue pas toujours. Ça m'aidera beaucoup. » Il s'agissait bien sûr du petit rebond de graisse que j'avais tenté de masquer. Un autre jour qu'il examinait de façon soutenue le côté de ma tête, LF marmonna entre ses dents : « C'est vraiment comme ça, eh bien je vais m'en servir ! » Ce qu'il avait remarqué alors, je ne l'ai jamais su.

La dernière séance fut consacrée à des retouches sur toute la surface de la plaque, dont certaines parties furent éclaircies, d'autres foncées, « afin de rendre le dessin plus subtil et plus ressemblant ». Et puis finalement, au bout de neuf mois et d'un nombre de séances dont je n'ai même pas essayé de tenir le compte, la plaque, à 10 heures du matin le dimanche 10 avril, fut finalement plongée dans un bain d'acide chez un imprimeur de Harrow Road, et une première épreuve tirée. Le trempage de la plaque dans son bain fut une opération extrêmement tendue et pleine de surprises. J'arrivai du Dorset avec ma femme Josephine et mon fils Tom, et nous retrouvâmes sur place Lucian et David.

La plaque de cuivre recouverte de cire est plongée dans un bain d'acide nitrique pendant une durée de quarante-cinq minutes à une heure, le moment précis où elle est retirée étant une question de finesse de jugement. Tous les quarts d'heure, la sonnerie d'un minuteur retentit et l'on examine la plaque. LF était d'évidence nerveux durant ce processus, sans aucun doute en partie parce qu'un jour il a complètement perdu une gravure lorsque la cire s'est soulevée et que l'acide a rongé le métal qui se trouvait dessous. « En règle générale, je ne crois pas aux accidents. Je ne parle pas des cas où quelque chose vous tombe sur la

Portrait Head, 2004–2005

tête pendant que vous marchez dans la rue. Je parle d'événements mettant en jeu votre propre volonté. Mais l'accident avec cette plaque a paru échapper totalement à mon contrôle. »

Une fois que le métal a été mordu par l'acide et que la cire a été ôtée, il est impossible de revenir en arrière. Pourtant, l'apparence de la plaque est très semblable à ce qu'elle était auparavant. Le moment de vérité survient lors du tirage de la première épreuve. Une transformation saisissante se produit alors. Bien sûr, les minces lignes métalliques brillantes sont à présent emplies d'encre noire, et l'image est inversée (p. 232). Mais le changement se situe à un niveau bien plus fondamental ; l'image qui apparut semblait, à mes yeux en tout cas, complètement nouvelle et inattendue. Mon visage y semblait plus âgé, plus anxieux et également beaucoup plus sculptural qu'il ne l'avait jamais été sur la plaque. Même si je finis par m'y habituer, je ressentis tout d'abord un choc.

Ce n'est qu'à présent que je peux constater ce que LF a réellement fait au cours de tous ces mois. Le petit pli de la bajoue qu'il avait paru si satisfait de découvrir, par exemple, amarrait en quelque sorte la tête et l'empêchait de pointer de façon excessive vers le coin supérieur droit. C'est en cela qu'il avait aidé la gravure, à défaut de flatter mon amour-propre.

Les trois épreuves qui furent tirées présentaient des caractéristiques très différentes. La deuxième, par exemple, semblait comporter moins de fond, parce que l'encrage était plus sombre autour du visage. Après délibération, LF préféra la première version, plus homogène. Il prononça son verdict : « J'en suis satisfait. »

Puis, comme il était presque midi, LF déclara : « Je retourne au travail » et s'esquiva – pour s'atteler à son prochain tableau.

juin 2005

Le tableau et la gravure ont été sélectionnés pour la grande exposition des œuvres de LF au Museo Correr de Venise, qui coïncide, même si elle n'en fait pas partie, avec la Biennale. Les propriétaires de *Man with a Blue Scarf*, John et Frances Bowes, vinrent assister à l'inauguration, et je les rejoignis à leur hôtel, le Cipriani, pour déjeuner. Accroché dans l'escalier de leur maison californienne, mon visage jouait désormais un rôle dans leur vie. Ou, pour le formuler autrement, ils étaient devenus propriétaires de mon alter ego. C'était un drôle de lien, mais une bonne occasion de faire connaissance. Ils aimaient beaucoup le tableau ; je fus flatté de voir qu'ils l'appréciaient.

Les deux portraits ont à présent entamé leur propre vie dans le monde. Le tableau a été exposé au Fogg Art Museum de Harvard, qui possède par ailleurs dans ses collections l'*Autoportrait dédicacé à Gauguin* de Van Gogh (1888), dans lequel celui-ci se représente, de manière curieuse mais inoubliable, en moine japonais – un bonze. Alors que j'écrivais mon livre *The Yellow House*, je n'avais cessé de penser à cet autoportrait en tentant d'en décoder les significations secrètes. Il dit beaucoup de choses sur l'état d'esprit de Van Gogh alors qu'il attendait l'arrivée de Gauguin en Arles. J'ai probablement dû y repenser de temps à autre pendant que je posais pour le tableau, puis pour la gravure.

Les bons tableaux ont ceci de particulier qu'il est impossible de les mémoriser. Même en les connaissant à fond, ils paraissent toujours différents quand vous les revoyez (plusieurs artistes, parmi lesquels Luc Tuymans et Richard Serra, ainsi que LF, ont attiré mon attention sur ce point). De même, une œuvre d'art donnée peut produire des émotions très différentes chez différentes personnes ; elle provoque même des réactions différentes chez un même individu à différents moments. D'ailleurs, cette capacité à susciter durablement cet effet est une des caractéristiques des œuvres de qualité. Je pensais connaître ces deux images aussi bien que n'importe qui, à l'exception de leur créateur. Je les ai vu progresser semaine après semaine, touche après touche. Et pourtant, chaque fois que je les revois, je les découvre comme pour la première fois.

Le fait qu'elles soient visibles par le public ne fait que compliquer encore la chose. Lors de la présentation privée qui en fut faite à Venise, j'eus l'occasion de rester quelque temps dans la salle où William Feaver, le commissaire, avait accroché l'huile et la gravure à côté des portraits par LF de la reine, de David Hockney et d'Andrew Parker Bowles. On m'adressa à propos de *Man with a Blue Scarf* de nombreux compliments que je ne méritais guère, m'étant après tout contenté de rester assis sans bouger pendant qu'un autre peignait. Mais il suscita des réactions assez différentes. « C'est un portrait très chaleureux et romantique », estima par exemple un marchand connu – ce qui était plutôt gratifiant. En revanche, un ami peintre déclara qu'il lui rappelait les portraits de déments peints par Géricault – « ce regard fixe » –, ce qui était moins plaisant.

La gravure déclencha moins de commentaires. « Elle est d'un accès plus difficile », estima le directeur d'un musée national. Pour William Feaver, elle montre que j'ai « un côté obscur ». Pour le dire franchement, je trouve que *Portrait Head* me ressemble moins : le visage allongé et froissé comme si j'avais été soumis à une torsion de la part des forces puissantes qui semblent tourbillonner autour de ma tête (tout comme dans la gravure d'après Chardin). Mais je les accepte l'un et l'autre comme deux aspects de moi-même : l'intérieur et l'extérieur, peut-être.

Le tableau est la représentation d'un observateur tourné vers le monde de façon positive et intéressée. Au contraire, la gravure est l'image d'une personne plongée dans l'introspection, l'anxiété, la tension et la réflexion. Les deux œuvres, chacune à sa manière, renvoient une image de moi et, peut-être – selon le moment et les circonstances –, reflètent deux aspects qui coexistent en chacun d'entre nous.

p. 18 « Plus notre art est sérieux […] », *A Free House! Or the Artist as Craftsman, Being the Writings of Walter Richard Sickert*, sous la dir. de Osbert Sitwell, Londres, Macmillan, 1947, p. 208

p. 20 « Le but de la recherche linguistique […] », William Labov, *Sociolinguistic Patterns*, Philadelphie, University of Pennsylvania Press, 1972, p. 209

p. 21 « Le sujet doit être soumis […] », Lucian Freud, « Some Thoughts on Painting », *Encounter*, vol. 3, n° 1, juillet 1954, p. 23

p. 25 « Lecteur, étudiez […] », Gaston Bachelard, *La Poétique de l'espace*.

p. 41 « Le caractère […] », Malcolm Gladwell, *Le Point de bascule*, Montréal, Transcontinental, 2003.

p. 46 « Ce qui me passionne […] », *Vincent van Gogh – Les Lettres. Edition critique illustrée*, sous la dir. de Leo Jansen, Hans Luijten et Nienke Bakker, Arles, Actes Sud, 2009, vol. 5.

p. 48 « Demeures alternatives pour l'esprit […] », James D. Breckenridge, *Likeness: A Conceptual History of Ancient Portraiture*, Evanston, Northwestern University Press, 1968, p. 35

p. 48 « L'artiste qui tente de servir […] », Lucian Freud, op. cit., p. 24

p. 58 « Bacon a trouvé […] », David Sylvester, *About Modern Art: Critical Essays, 1948–96*, London, Chatto & Windus, 1996, p. 319

p. 61 « Ils étaient tous deux vêtus […] », Stephen Spender, *Journals 1939–1983*, Londres, Faber & Faber, 1985, p. 158

p. 74 « les yeux […] », Charles Darwin, *L'Expression des émotions chez l'homme et les animaux* (1874)

p. 79 « Tout d'abord […] », *Vincent van Gogh – Les Lettres*, op. cit., vol. 4.

p. 93 « Un chiffre surnaturel […] », Daniel McNeill, *The Face*, Londres, Hamish Hamilton, 1999, p. 84

p. 107 « les gens ne connaissent pas […] », Henry Mayhew, *London Labour and the London Poor*, Londres, Griffin, Bohn, 1861, vol. 3, p. 209

p. 107 « pour nous émouvoir […] », Lucian Freud, op. cit., p. 23

p. 111 « Il coagula en petits grumeaux […] Je sais que ma conception […]», Lawrence Gowing, *Lucian Freud*, Londres, Thames & Hudson, 1982, p. 190–191

p. 137 « Dans la nature […] », Medardo Rosso dans une lettre à Edmond Claris, citée dans Caroline Tisdall et Angelo Bozzolla, *Futurism*, Londres, Thames & Hudson, 1977, p. 27

p. 167 « est étendue sous la surface […] », Lawrence Gowing, op. cit., p. 118.

p. 168 « Comme la plupart des autres muscles […] », Daniel McNeill, op. cit., p. 178

p. 171 « Sir ! Vous nous avez déçus ! […] », Hilaire Belloc, *Cautionary Tales for Children: Designed for the Admonition of Children Between the Ages of Eight and Fourteen Years*, Londres, Eveleigh Nash, 1908, p. 51

p. 182 « Regarder fixement […] », Daniel McNeill, op. cit., p. 228

p. 182 « de se livrer à une continuelle contemplation […] », Marina Sabinina, cité dans Alex Ross, *The Rest is Noise: Listening to the Twentieth Century*, Londres, Fourth Estate, 2008, p. 258

BIBLIOGRAPHIE SÉLECTIVE

Bernard, Bruce, et Derek Birdsall (éds), *Lucian Freud*, Londres, Jonathan Cape, 1996

Calvocoressi, Richard, *Early Works: Lucian Freud* (cat. d'expo.), Edimbourg, Scottish National Gallery of Modern Art, 1997

Feaver, William, *Lucian Freud* (cat. d'expo.), Londres, Tate Publishing, 2002

—, *Lucian Freud*, New York, Rizzoli, 2007

Figura, Starr (éd.), *Lucian Freud: The Painter's Etchings*, New York, Museum of Modern Art, 2008

Gowing, Lawrence, *Lucian Freud*, Londres, Thames & Hudson, 1982

Hartley, Craig, *The Etchings of Lucian Freud: A Catalogue Raisonné 1946–1995*, Londres, Marlborough Graphics, 1995

—, *Lucian Freud: Etchings 1946–2004* (cat. d'expo.), Edimbourg, National Galleries of Scotland, 2004

Lampert, Catherine, *Lucian Freud* (cat. d'expo. avec un essai de Martin Gayford et une introduction de Frank Paul), Dublin, Irish Museum of Modern Art, 2007

Lucian Freud – Scènes d'atelier (avec des photographies de Bruce Bernard et David Dawson et un entretien de Lucian Freud avec Sebastian Smee), Londres, Jonathan Cape, 2006, et Paris, Thames & Hudson, 2007

Lucian Freud, 1996-2005 (avec une introduction de Sebastian Smee), Londres, Jonathan Cape, 2005, et Paris, La Martinière, 2005

Lucian Freud sur papier (avec un essai de Richard Calvocoressi et une introduction de Sebastian Smee), Londres, Jonathan Cape, 2008, et Paris, Thames & Hudson, 2008

LISTE DES ILLUSTRATIONS

Les dimensions sont indiquées en centimètres, la hauteur précédant la largeur.
LFA/John Riddy : Lucian Freud Archive, photographies de John Riddy

Frontispice : *Man with a Blue Scarf* dans l'atelier de Lucian Freud, 14 juin 2004. Photographie de David Dawson

p. 8 Lucian Freud, 2005. Photographie de David Dawson

p. 12 Vincent van Gogh, *Moisson en Provence*, 1888. Dessin à la plume de roseau, encre brune sur papier velin, 24 x 32. National Gallery of Art, Washington, DC, Collection Mr and Mrs Paul Mellon (1985.64.91)

p. 16 Lucian Freud, *Naked Portrait with Egg*, 1980–1981. Huile sur toile, 75 x 60. The British Council. LFA/John Riddy

p. 22 Lucian Freud, *Four Eggs on a Plate*, 2002. Huile sur toile, 10,3 x 15,2. Collection privée. LFA/John Riddy

p. 24 Lucian Freud, *Man at Night (Self Portrait)*, 1947–1948. Encre, 54,6 x 42,5. Collection privée. LFA/John Riddy

p. 26 Lucian Freud dans l'écurie, 2003. Photographie de David Dawson

p. 27 Lucian Freud, *Skewbald Mare*, 2004. Huile sur toile, 101 x 122,2. Chatsworth House Trust. LFA/John Riddy

p. 28 Lucian Freud, *Grey Gelding* (travail en cours), 2003. Photographie de David Dawson

p. 30 Lucian Freud peignant Andrew Parker Bowles, 2003. Photographie de David Dawson

p. 32 Lucian Freud, *David and Eli* (travail en cours) 2003. Photographie de David Dawson

p. 36 Lucian Freud, *Irish Woman on a Bed*, 2003–2004. Huile sur toile, 101,6 x 152,7. Collection privée. LFA/John Riddy

p. 39 Lucian Freud, *Garden from the Window*, 2002. Huile sur toile, 71,1 x 60,9. Collection privée. LFA/John Riddy

p.40 Lucian Freud, *The Painter's Garden*, 2003–2004. Gravure, 61,5 x 86,8. LFA/John Riddy

p. 44 Lucian Freud, *Still Life with Book*, 1993. Huile sur toile, 42 x 38. Collection privée. LFA/John Riddy

p. 47 *Ka-aper (Sheikh el-Beled)*, Saqqara, Vᵉ dynastie, v. 2475–2467 av. J.-C. Bois, recouvert à l'origine de plâtre et peint, h. 112. Musée égyptien, Le Caire

p. 50 Lucian Freud, *Francis Bacon*, 1956-1957. Huile sur lin, 35 x 35. Collection privée. LFA/John Riddy

p. 55 Nicolas Poussin, *Et in Arcadia Ego*, 1628. Huile sur toile, 97,5 x 72,7. Devonshire Collection, Chatsworth. Chatsworth Settlement Trustees

p. 57 Lucian Freud, *Naked Man, Back View*, 1991–1992. Huile sur toile, 183 x 137,2. Metropolitan Museum of Art, New York. LFA/John Riddy

p. 60 Lucian Freud, *Boy Smoking*, 1950–1951. Huile sur cuivre, 20,4 x 165. Tate. LFA/John Riddy

p. 62 Lucian Freud, *A Man and His Daughter*, 1963–1964. Huile sur toile, 61 x 61. Collection privée. LFA/John Riddy

p. 67 Le Caravage, *La Conversion de saint Paul*, 1600–1601. Huile sur bois, 237 x 189. Eglise Santa Maria del Popolo, Rome

p. 70 Lucian Freud, *Double Portrait*, 1985–1986. Huile sur toile, 79 x 89. Collection privée. LFA/John Riddy

p. 71 Lucian Freud, *The Painter's Mother Resting, I*, 1976. Huile sur toile, 91 x 91. Collection privée. LFA/ John Riddy

p. 78 Lucian Freud, *Self Portrait, Reflection* (travail en cours) 2004. Photographie de David Dawson

p. 80 Jean-Siméon Chardin, *Autoportrait*, 1771. Pastel sur papier, 46 x 37,5. Musée du Louvre, Paris

p. 84 Lucian Freud, *Self Portrait, Reflection*, 2002. Huile sur toile, 66 x 50,8. Collection privée. LFA/John Riddy

p. 87 Francisco de Goya, *El Lazarillo de Tormes*, 1808–1812. Huile sur toile, 80 x 65. Collection privée, Madrid

p. 89 Lucian Freud, *The Painter's Room*, 1943–1944. Huile sur toile, 63,1 x 76,1. Collection privée/Bridgeman Art Library

p. 98 Lucian Freud, *John Deakin*, 1963–1964. Huile sur toile, 30,2 x 24,8. Collection privée. LFA/John Riddy

p. 102 Jeune femme posant pour la gravure *Girl with Fuzzy Hair*, 2003. Photographie de David Dawson

p. 103 Lucian Freud, *Girl with Fuzzy Hair*, 2004. Gravure, 65,7 x 49,8. LFA/John Riddy

p. 110 L'atelier de Holland Park, 2004. Photographie de David Dawson

p. 117 Lucian Freud, *John Minton*, 1952. Huile sur toile, 40 x 25,4. Royal College of Art, Londres. LFA/John Riddy

p. 120 Lucian Freud, *Man in a Blue Shirt*, 1965. Huile sur toile 59,7 x 59,7. Collection privée. LFA/John Riddy

p. 123 Titien, *Diane et Actéon*, 1556–1559. Huile sur toile, 198 x 206. National Gallery of Scotland, Edimbourg

p. 126 Lucian Freud, *Old Man, after El Greco's St Philip*, n°4 dans le carnet de croquis de 1940. Encre, 21,3 x 14,6. Collection privée. LFA/John Riddy

p. 138 Lucian Freud, *Pluto's Grave* (travail en cours), 2003. Photographie de David Dawson

p. 140 Lucian Freud, *Pluto's Grave*, 2003. Huile sur toile, 41 x 29,8. Collection privée. LFA/John Riddy

p. 143 David Hockney et Lucian Freud, 2003. Photographie de David Dawson

p. 144 Lucian Freud, *David Hockney*, 2003. Huile sur toile, 40,6 x 31,1. Collection privée. LFA/John Riddy

p. 148 Lucian Freud, *Self Portrait, Reflection*, 2003–2004. Huile sur toile, 17,8 x 12,7. Collection privée. LFA/John Riddy

p. 150 Lucian Freud, *David and Eli*, 2003–2004. Huile sur toile, 162,5 x 174. Collection privée. LFA/John Riddy

L'atelier de Holland Park, 2004

p. 158 Lucian Freud, *Large Head*, 1993. Gravure, 69,4 x 54. LFA/John Riddy

p. 160 Lucian Freud, *Armchair by the Fireplace*, 1997. Huile sur toile, 66 x 56. Collection privée. LFA/John Riddy

p. 162 Lucian Freud et Andrew Parker Bowles, 2003. Photographie de David Dawson

p. 165 Lucian Freud, *The Brigadier*, 2003–2004. Huile sur toile, 223 x 138,4. Collection privée. LFA/John Riddy

p. 166 Lucian Freud, 2005. Photographie de David Dawson

p. 186 Jean-Siméon Chardin, *La Jeune Maîtresse d'école*, 1735–1736. Huile sur toile, 61,6 x 66,7. National Gallery, Londres

p. 187 Lucian Freud, *After Chardin*, 2000. Gravure, 59,5 x 73,3. LFA/ John Riddy

p.193 Lucian Freud, *Naked Portrait*, 2004. Huile sur toile, 121,9 x 101,6. Collection privée. LFA/John Riddy

p. 195 Lucian Freud, *Self Portrait* (inachevé), 1952. Huile sur cuivre, 12,8 x 10,2. Collection privée/Bridgeman Art Library

p. 196 Lucian Freud, *After Chardin*, 2000. Gravure, 15,4 x 20,1.

p. 201 Paul Gauguin, *Van Gogh peignant des tournesols*, 1888. Huile sur toile, 73 x 92. Van Gogh Museum, Amsterdam (Vincent van Gogh Foundation)

p. 203 Lucian Freud, *Pluto Aged Twelve*, 2000. Gravure, 43,5 x 59,7. LFA/John Riddy

p. 204 Lucian Freud avec un renard, 2005. Photographie de David Dawson

p. 206 Lucian Freud, *Lobster*, 1944. Conté et crayon gras, 65 x 83. Collection privée. LFA/John Riddy

p. 217 *Man with a Blue Scarf* et Martin Gayford, 14 juin 2004. Photographie de David Dawson

p. 218 Lucian Freud, *Man with a Blue Scarf*, 2004. Huile sur toile, 66 x 50,8. Collection privée. LFA/John Riddy

p. 222 Martin Gayford et Lucian Freud, 2005. Photographie de David Dawson

p. 228 La plaque de gravure, 2005. Photographie de David Dawson

p. 232 Lucian Freud, *Portrait Head*, 2004–2005. Gravure, 40 x 31,8. LFA/John Riddy

p. 240 L'atelier de Holland Park, 2004. Photographie de David Dawson

p. 248 Eli, 2002. Photographie de David Dawson

REMERCIEMENTS

Ma plus grande reconnaissance va bien évidemment à Lucian Freud, pour les centaines d'heures passionnantes – chacune d'entre elles particulièrement éclairante – passées en sa compagnie, pour m'avoir transformé en deux œuvres d'art très différentes et m'avoir encouragé à écrire ce livre. David Dawson, lui aussi, a été merveilleusement enthousiaste et prévenant tout au long de la gestation du projet. Il a lu mon texte, fait nombre de suggestions utiles et généreusement accepté que ses magnifiques photos soient intégrées à l'ouvrage – ce qui, à mes yeux, dote celui-ci d'une dimension supplémentaire. John Riddy a fourni les clichés extraordinairement fidèles des œuvres de Lucian, tandis que Diana Rawstron a été une source inépuisable d'aide et de conseils.

Ce fut un véritable plaisir de travailler avec l'équipe de Thames & Hudson. Merci également à mon agent David Godwin et à mon épouse, qui ont tous deux lu le manuscrit et proposé des améliorations. Merci aussi à ceux qui m'ont les premiers commandé des articles sur le processus de pose, en particulier Michael Hall d'*Apollo*, Sarah Crompton et Tom Horan du *Daily Telegraph* et Karen Wright de *Modern Painters*. Certains incidents, réflexions ou échanges relatés dans ces publications ont été repris dans ce livre. Mon fils Tom s'est chargé de la rédaction de l'index et, ce faisant, nous a permis de rectifier plusieurs erreurs. Il est assez fier de l'entrée « œufs, personnalité des », qui pourrait bien être un cas unique dans l'histoire de l'indexation.

INDEX

Les numéros de page en *italiques* renvoient aux illustrations.

Eli, 2002